もしもし下北沢

よしもとばなな

幻冬舎文庫

もしもし下北沢

もう亡くなってしまった大好きな映画監督、市川準さんが撮った「ざわざわ下北沢」という映画がある。

下北沢に越す勇気を出すために、実家にいるとき深夜ひとりで何回も観た映画だ。決心をかたくするために、下北沢を体にしみこませたかった。

その中に、ピアニストのフジ子・ヘミングさんが下北沢の街について語る場面がある。映像は駅前の市場でお買い物をして歩いているフジ子さんで、そこにご自身のナレーションがかぶってくる。

「なにも考えないで広がるにまかせた雑然とした街のつくりが、ときにとっても美しく見えるのは、鳥が花を食べたり、猫が見事な動きで飛び降りるのと同じ、人の乱雑な汚さのようで、実は人の無意識のきれいな部分のような気がする。

何か新しいことを始めると、最初は濁っている。

だがやがてそれは清流になり、自然な運動の中で静かに営まれていく。」

そのくだりを初めて観たとき、そのとおりだなあとしみじみ思ったのと同時に、涙がぽろりと出た。それから何回も観て、暗記して、勇気を蓄えた。

うすうすわかっていることをだれかがはっきりと言葉にしてくれると、心はこんなに安らぐんだ、そう思った。

フジ子さんの人生にこれまで降り注いだおそろしい分量の出来事のつみかさね…それがあって初めてその美しい言葉は映像の中で激しく意味を持ちはじめ、人々の心をゆさぶり、励まし、地に足をつかせることができる。

私も、他のことで、そういうことをしたいと強く思った。自分以外の人に向かってこんなすばらしい魔法をかけたいと。

夜中にひとりそう思うことの中に深く息ができるような空間が生まれ、それが私をかろうじて支えていたのだろうと思う。

お父さんを失ってからの私の落ち込みは決して激しいものではなく、ボディブローがじわじわっときいてくるような苦しみだった。気づくと深く沈み込んでいて、なんとか顔をあげる、そういう繰り返しだった。

　私はずいぶん理屈っぽくなり、体も一回り固く小さくなったような感じがした。そして自分を守るためにいっそう考え事の中に溺れるようになっていた。

　花とか光とか希望とか浮かれさわぐとかそういうものが自分からいつのまにか遠くに感じられ、生臭く暗く深い闇の中に閉じ込められているようだった。そこではおなかの底にある獰猛《どうもう》な力だけが意味を持ち、美しく軽やかなものには全く存在価値がなかった。

　その闇の中で、私はひたすらにただ動き、息をし、見えるものだけをじっと見ようとした。

　そうしたらやがて、光も、見えてきたのである。

　光が、ではない。

　闇は変わらずそこに獰猛な野生の生臭さをたたえて存在していた。

　少しだけ余裕ができてその振幅の美しさが理解できるようになって、私は初めてフジ子さんの言っていたことのより深い意味を知ったのだった。

　私が下北沢に住みはじめたのは、お父さんが、私やお母さんの全く知らない、遠い親戚だという女性に茨城の林の中で無理心中に巻き込まれてしまってから一年後くらいだったと思う。

　その女性は、お父さんに相談をもちかけているうちに深い関係になり、お父さんは彼女に誘い出され、お酒の中に睡眠薬を入れられ、彼女の運転する車で人気《ひとけ》の少ない集落の近くの林の中に連れていかれ、彼女の持ってきた練炭による一酸化炭素中毒で死んだのだった。もちろんその女性も死んでしまった。車はしっかりと目張りしてあり、他の犯罪を疑う余地はなかった。

私のお父さんは、簡単に言うと、心中という雰囲気ではあるけれど「殺された」ということなのだった。

それに関してどれだけの現実的な場面があり、具体的な判断があり、私とお母さんがどれだけのものを見たり聞いたりしなくてはいけなかったのか、細かく語るのはよそうと思う。あまりにも受け入れがたいショックなことが多すぎたから、まだ整理できていない。

その時期のことは、記憶もとぎれとぎれだった。もしかしたら、全部を振り返ることは一生できないのかもしれない。どうやっても割り切れないものが増えていくのが人生だとしたら、このことに関する割り切れなさは一生分くらいの大きさや深みがあった。

最近やけに一泊の地方ライブや朝帰りが多いね、いい人でもできちゃったかな。でもお父さんには家族を捨てる勇気はないんじゃないかなあ、もしそんなことになったらどうする？変わらず暮らしていくしかないかな、深く考えてもしかたないし、待っていれば戻ってくるでしょうしね、などとのんきに言いあっていた私とお母さんは、警察からの突然の連絡にただただ驚くばかりだった。

泣いたり、わめいたり、暴れたり、しばらくの間はなんでもやってみた。とにかくなんでもかんでも。お母さんといっしょに、またはばらばらに、または交互に支えあって。

音楽業界にいたお父さんが女性とちょっとくらい浮気するのはあたりまえのことだし、あまり突っ込んで監視すると家族が壊れちゃうものね、と変なふうに気をつかってしまい、お父さんの自由な毎日をある程度あきらめて野放しにしていた自分たちを責めもした。

ツアー以外では、たとえ夜明けに帰ろうと外泊をしないのはお父さんのけじめだったし、彼はお母さんや私とした約束がどんなに小さいものでも、手帳につけたり、手の甲に書いたりして、必ず守った。今でもお父さんの手を思い出すと、メモが書いてあるイメージが浮かんでくるほどだ。

「牛乳買ってきて」から「来週いっしょに餃子食べにいこう」まで基本的には全部守ってくれたお父さんは、バンドマンである前にお父さんとしてほんとうに良い人だったのだ。だから私たちはすっかりのんきになってしまっていた。

だからお父さんがそんなふうに死んでしまってお葬式を出してからも私たちはただ驚いていて、お父さんがいなくなったことを実感するのにずいぶんかかった。

相手も死んでしまったからもう裁かれようがないわけで、割り切れないまま、いろいろな気持ちの行き場もないままに、すうっと全部が終わってしまった。もしかしたら多少血縁関係があるらしい彼女の身内を探し出してお金を請求してもしかたないし、会いたくもなかった。

そもそもその彼女は生まれてすぐに養女に出されており、死ぬ前の彼女は養女に出された先を家出してからずいぶんたっていて、身寄りがないも同然だったらしい。それさえもやむなく耳に入ってしまった情報であり、ほんとうを言うとそういうことさえも知りたくなかったので、お母さんと私はなにも行動しなかった。

その人の遺体をじっと見ることはしなかったけれど、写真で見た生前の彼女は、ぞっとするくらい白く美しい狐か蛇みたいな人だった。そのこともショックだった。お父さんがこんな色気にだまされてしまうなんて、そう思えた。もちろんお母さんはもっとショックだっただろう。

日常とはそんなときでも続けなくてはならないし、続いてしまうものだ。私は、道を歩いているだけなら他の人となんの違いもないように普通に見える自分を不思議に思った。中身はこんなにめちゃくちゃなのに、普通の私が今まで通りにショウウィンドウに映っていると。

お父さんの死からおおよそ一年がたった頃、お母さんが多少立ち直ったように見えたのを見計らい、私も自分の人生を始めなくてはと思いたった。

　短大を出てからすぐに専門学校で料理を習い、やっと卒業して、友達の店を手伝ったりしながら仕事をゆっくりとさがしていたのだが、そんなことがあったのでしばらく全てがストップしてしまっていた。専門学校の友達と新たにお店をやろうかという計画もあったがそれどころではなくなり、なにもかもが白紙になってしまった。

　私は実家であるマンションの部屋を出て、友達のお母さんがやっている下宿屋の二階を借りることにした。そこには友達が住んでいたのだが、彼女が結婚してイギリスに住むことになったために部屋が空いたと聞き、ためらいなくそこに決めた。下北沢の駅から七分の場所にその部屋はあった。

　それから私は同じく茶沢通り沿いにある、部屋から一分、真向かいのお店レ・リヤンで働きはじめた。小さいお店なので厨房もフロアもドリンクもなんでも手伝うことになり、いきなり忙しく毎日が回りはじめた。

　家の中の重く苦しい空気がやっと少し晴れてきたと思った頃のひとり暮らしは格別だった。やっとお父さんのことをふっきって、自分の人生を始められる、そう思った。

　お茶を飲むのも、朝起きるのも、やっと楽しく感じられるようになってきた。環境を変えるというのはすごいことだ。もう朝起きてもお父さんの不在について考えなくてもよかった。

実家だとどうしてもそのことがまるであぶり出しみたいな自然さで毎朝じわじわっとあちこちからわいてきて気持ちがもやもやしてしまうのだ。

古い一軒家の二階全部を借りていたので充分な広さはあったがものすごく広いわけではなく、西日ががんがん入ってくる和室ふた間と二畳分のキッチンだけのシンプルな部屋だった。夏はどんなにクーラーをつけても少しも冷えないくらい強烈な西日だった。

お風呂も古く小さな浴槽はタイルばりだったが、シャワーだけは入居時につけかえられてぴかぴかだった。古い家のにおいがいつもぷんとしていて、たたみもすっかり焼けてしまっていて、コンロも古い型だったし、私が持ち込んだオーブンレンジを使うと電源がしょっちゅう落ちる、もちろんドライヤーなんてもってのほか、真っ暗な中でないとかけられない、そういう「今どきこんなところがあるなんて」と遊びに来たみなに言われる、渋いところだった。

それでも少しでも貯金をしたかった私にとって、その広さと安さ、職場からの近さはとにかくありがたかった。友達のお母さんであるところの大家さんは一階には住んでおらずテナントとして貸していたので、私の部屋の下には小さな古着屋さんとカウンターだけのファンシーな内装の小さいカフェがあった。コーヒーがおいしくないしクッキーは生焼けなのでそこには滅多《めった》に行かなかったけれど、かわいい女の子たちがにこにことやっているお店だったし、昼はいつもそこに人がいて安心だったし、夜はどんなにうるさく音をたてて歩いても、音楽をかけても、洗濯しても、階下にはとがめる人がだれもいない、それも魅力だった。

しかし楽しい期間は短かった。ある日突然、ほとんど手ぶらで、お母さんがその部屋に転がり込んできたのだ。

それはかんかん照りの夏が急にその手をゆるめたみたいに突然に空が高くなり、風がふっと冷たくなって、まさに秋になろうとしている季節の、しとしとと雨が降る夕方のことだった。

私はランチの仕事を終え、いったん家にもどってしばしの休憩時間を過ごしていた。お母さんから携帯に電話があって、今下北にいるんだけれど、と言った。

お母さんがたずねてくるのは珍しいことではなかったので、普通に「部屋にいるよ。お茶でもする？」と言ったら、いくつかの紙袋とエルメスの大きなバーキンのバッグがぱんぱんにふくらんだものだけを持ってやってきたお母さんは自然な雰囲気で、

「ねえ、よっちゃん。私、あの家にひとりでいるのどうしてもいやなの。泊めてくれない？しばらく。」

と言った。

いやだなあ、と心から思ったが、それを顔に出さないでいるのがやっとだった。お母さんも大変だったしな、と思ったのでこらえたのだ。私たちはまだまだ、言葉につくせないくらいもやもやした思いを抱えて過ごしていたのだから。

でも、そんなこととても信じられなかった。

私はバイトに忙しくてほとんど寝に帰るだけだし、部屋は実家である目黒のきれいで広い3LDKのマンションとは全く違うのだ。

でもお母さんはそんなことを気にしてないふうだった。

私はそこで心機一転がんばっていこうと思っていたし、やっと仕事に慣れてきたからいよいよ恋愛をしたりもっと友達を呼んでおしゃべりしたり、一人暮らしならではの楽しいことも遅まきながらはじめようと思っていた。冗談じゃないと思った。私もしばらく目黒に帰るからいっしょに帰ろう、と言ったら、お母さんは、

「自由が丘に恨みはないけれど、あの部屋もあの街も、お父さんのことを思い出すからいやだ。」

と言った。

「下北がいいの、下北にいたい。あの部屋は息がつまりそう。なにも動くものがないの。よっちゃんの明るさがどんなに私を救っていたか、やっとわかった。」と。

目黒の、自由が丘にほど近いそのマンションの部屋は、父方の祖母が息子夫婦に子供（つまり私）ができたとき、譲ってくれたものだった。だから留守にしていても家賃は払わなくてよい。管理費だけだし、管理組合の集いみたいなものもなにかの係になっている年でなければ月に一度くらいだったし、確かに短い期間あけるぶんには不都合はなかった。

「半年だけ待ってみて、もしもこの気持ちが変わらなかったら、あの部屋を売るから。」

とお母さんは言った。

「じゃあ、せめて今から、ふたりでもう少し広いところを借りない？　お母さんのお金があったら、借りられるじゃない？」

私は言った。

「そんなことをしたら、いろんなこと全部がすっかりかたまってしまうじゃない。おおごとになるでしょう。それはまだ早い。今は、ほこりもたたないくらいにそうっとそうっと動くしかないときなのよ。そうっと、そうっと。息をつめて。大きく動くのは命取りなのよ。」

お母さんは言った。こういうとき、妙に説得力のあることを言うのが、お母さんの特徴だった。

「ここがいい。ここの窓から茶沢通りを見下ろしていると、いろいろなことがちょっとずつ白紙になっていくのがわかるの。ねえ、よっちゃん。マジで、私を友達だと思えない？　失恋した友達がしばらく転がり込んできただけと思ってよ。」

お母さんは言った。母が着ている、なんとも言えない派手なTシャツの柄を私は見ていた。これ、きっと下の古着屋で買って、試着してそのまま来たんだろうな。すっかり下北沢に染まっていて、目黒のマダムとは思えない服装だった。

「マジで、って言われても、思えないよ。それに事態は失恋よりもずっと重いから、そんなふうに軽く考えられないし。」

私は言った。

「子離れができてないと思われてもなんでもいい、私は、お父さんがいないうえによっちゃんの笑顔もない目黒では暮らせない、今は。とにかくいったん白紙にしないとなにも考えられない。」

お母さんは言った。

私の頭の中はぐるぐると回っていた。夢見ていた全てのことを短時間で修正しようとするのにたいへんだった。

なんで、もっと整った場所があるのに、ふたりで旅先の安宿にいるみたいに、このぼろぼろの部屋で暮らさなくちゃいけないんだろう？　家賃を抑えて貯金しようと思って、わざわざ友達のお母さんがやっている安い下宿を、勤務先のビストロが見えるほど近いという理由だけで選んだのに。

　お金は入れるとか言っているから、家賃は半分以上払ってくれちゃうし、多分掃除洗濯もしてくれてしまう。独立の意味が全くない！

　つとめて柔らかい言い方でそう言ってみた。

　でもお母さんはうつろな感じでそれを受け流した。そしてきっぱりと言った。

「あなたの言ってることは、どれもみんな意味があることじゃない。理由があるし、理屈が通っているじゃない。」

　私は答えた。

「そうだよ、だって、そうじゃない。そうに決まってるじゃない。」

　お母さんは首をふった。

「今は、とにかく意味のないことがしたいのよ。しっかりした大人だってことを、忘れたいの。

　だって結婚とか生活って意味があるように見えることや予測の連続で、だからお父さんはきっと、意味もないことがしたくて、いろいろしているうちにのめりこんでしまってあんなふうに死んじゃったりしたんでしょう？

　私も意味がないことをしたい。若いときに戻れるとは思わないけれど、今は、あなたを育てる義務もないし、まるで友達の家に転がりこんだみたいな感じで、頭を真っ白にして、とにかく白紙に戻りたい。」

と言った。

不思議なのは、いったん心をひらいて聞いてみると、お母さんの言っていることがあながち間違っていないと心から思えたことだった。その言葉の全部が妙にすっと心に入ってきた。

私のお父さんはそこそこ人気のあるバンドマンで受け持ちの楽器はキーボードだった。スタジオに呼ばれて知り合いの録音を手伝うこともあったし、他のバンドのライブでツアーを回ることもしょっちゅうだった。いつでも忙しかったし、それなりに稼いでいた。

音楽学校の講師の話が来ても単発では受けるが、職業としての講師をやる気はない、ライブが好きだと言ってその通りに生活していたから、お父さんはしょっちゅうだれかしらのツアーのお手伝いに出ていて、最後のほうでは私たちはたまに家に寄り集まり顔を合わせるだけの、家族解散に近いゆるい状態であった。

家族にはいろいろな時期がある。ちょうどそれぞれの時間を持つようになってちょっと心が離れて、しばらくすれば元に戻るだろうと思っているうちに、いつのまにかお父さんをかっさらわれてしまった、そんな感じだった。元々おじょうさま育ちのお母さんも、そのお母さんに育てられた私も、世間的なあざとさをほとんど持っていないので、太刀打ちできなかった。

　もともとお父さんは活気にあふれたタイプではなく、あちこちに神経質な面もあり体もそんなに丈夫ではなく、実際はそれほど弱っていなくても生きているのがやっとという風に見えてしまう人だった。

　おじょうさまで生涯金銭的な苦労はなかったが決して幸せとは言えなかった父方の祖母の血なのかもしれない。私のおじいさんにあたる人はお父さんが若いうちに亡くなっていたが、外に女の人がいてほとんど家にはいなかったそうだ。それも、祖母が亡くなってから初めて知ったことだった。

　私の中にもその悲しい血が流れていると思うと、ふっと背筋が寒くなる。お父さんは静かで大人っぽい外見の人だったが、内面はいつまでも学生気分でいたかった人だった。娘と出かけるときは腕を組まずにはいられないような、根っこでは甘えん坊で陽気な気取りやさんだったのだと思う。見た目がちょっと甘く繊細な感じでしかも寡黙だからあまりそう見えなかっただけで、打たれ弱く、きっといつまでもふわふわと生きていたい人だったし、どんなこともなんとかなると甘く見るところもあったと思う。その子供みたいなところが、お父さんの良さでもあった。

「でもお母さん、それだったら、ほんとうに自分の友達の家に転がり込めばいいいんじゃないの？　私はさあ、ひとりになろうと思ってわざわざ一人暮らしを始めたんだよ。いつまでも親に甘えていてはいけないから自活しようと思って。」

　私は言った。

「だって、他の人は、お父さんを共有していないもの。それはこの世にあなたしかいないもの。まあ、もしかしてお父さんといっしょに死んだあの女性は共有していたのかもしれないけれど、どう考えたって仲良くなれないし、だいたい死んでるしさ。それに友達って別の意味で気を使うし。ほんとうに頼れる親友は結婚してご主人の転勤でサンフランシスコにいるし。」

　お母さんは言った。

「まあ、彼女のところは広い客間もあるしもちろん行けないことはないけれど、そこまで迷惑かけられないわよ。そのうち、あなたとの暮らしが行き詰まったら、一ケ月くらいは行ってもいいけれど、それは単なる気晴らしじゃない、そこに何年いようと。でも、日本にいたら、なにをしていてもそれはきっといつのまにかこれからの暮らしにもつながっていくよね。これからどうなるかわからないからお金も節約したいし。このお部屋のお家賃だったら気持ちの負担にならないしさ。あなたのところなら、気兼ねなくいつでも出られるし。もういいのよ。あんまりさ、あれこれ考えても仕方ないじゃない。ふたりしかいないんだし。贅沢《ぜいたく》できるほどのお金もないし。だけど、今すぐにつきつめて考えるのはいやなのよ、なんかばかばかしいし、なにかに負けるような気がしてさ。明日のことは、明日考えようよ。」

お母さん、いつからそんな考え方ができるようになったんだろう、と私は感心した。

お父さんが生活に対して淡い感覚しか持っていないぶん、お母さんはいつもきちんとしていた。計画のたてられないことは決してしなかったし、行き先の定まらない行動も思いつかなかった。

一人っ子であるお母さんの両親は私が小さい頃に亡くなっていた。

広大な農園と牧場のあったお母さんの実家はとっくに売り払われていた。北海道のなにもないところだったのでそんなものすごいお金にはならなかったはずだが、そのまとまったお金を専業主婦だったお母さんは遺産としてもらってきっちりと貯金している。お母さんが今しばらくここで暮らすことは、経済的にはそんなに無茶な行動ではなかった。そのことで、私のほうは貯金さえできてしまうかもしれないのだった。

でも私は、自分こそが親離れしていないことを知っていた。

帰るところが必要だったし、そのためにお母さんには実家にいてほしかった。

そんな子供らしい枠の中で思い切りひとりになれると思ってわくわくしていたし、覚悟もその程度しかしていなかった。つごうのいいひとりぐらしを夢見ていた。

私のものだけがわずかにある私だけの空間を、よりによって親と共有しなくてはならないなんて、生臭すぎる。…恋人ができても同棲だけはしないでおこう、お互いの部屋を行き来しよう、今は修業中だし、なんて自分で勝手に夢見て決めていたのに。

ほんとうは、自立を貫くためには、怒ったりどなったりしてでも出ていってもらうべきだったのかもしれない。たとえば私が男の子だったら、そうしていただろう。

しかしそのとき、お母さんは少女のようにひじをついて、雨にかすむ茶沢通りをぼんやりと見つめていた。

それ以上に私の心を動かす風景はなかった。

私の頭の中をぐるぐるとうるさく回っていた理屈はふっと静かになった。

その姿からは、お母さんがほんとうにただここにいたがっているだけだ、ということが伝わってきた。お母さんの姿には大人の女としてのはっきりした形はなく、夢のようなもやがかかっていた。可能性とか未来とか孤独とかでできている、若い人みたいな不安定なもやが。

「何かに負けそうって、何に。お父さんに？」

私は言った。

「違うわよ、なんか、人生をきちんと生きなくちゃだめになる、っていう嘘の教えに負けそうなのよ。だって、きちんと生きないと大変なことになると思って必死でやってきたのに、考えうる大変なことのかなり上のほうのことが起きちゃったじゃない。

お父さんが借金を作る前に死んでくれたことだけが、すばらしかったことなんて、悲しすぎる。自分の貯金はずいぶんと切り崩して貢いでいたから、私たちにはほとんどなにも残らなかったし。

でもあの人はいい人だったから、私やよっちゃんに迷惑をかけるくらいなら、死のうと思うようなところのある人だったよね。なんか、変に純粋だったよね、ずっと。

もっと昔に、あなたができる前にちょっとうまくない時期があって、あまり家庭を持つのに向いてないみたいだから離婚してくれっていうのに、応じてればよかったのかな。そのとき話し合って、あなたを産むことにして、そのあとは一回も離婚話は出なかったんだ。やっぱり結婚っていいねっていつでも言っていたのよ、あなたが生まれてからは。

別にあの人が死んだのは自分のせいだって思ってはいないわよ。でも、とにかく『大人になったら、きちんとしていればなんとかなる』っていう教えを私にたたきこんだこの世の全てに、今はただひたすらに反抗したい気持ちなの。」

お母さんは言った。

私はなにも反論できず、気持ちの行き場も失ったままで、

「よし、今は今なんだ、みんな反対に考えてみよう。今は旅先で、お母さんが遊びに来ているだけだ、気にしない気にしない。」

とつぶやいてみた。

そうしたらすっと気が晴れた。

お母さんを手ひどく傷つけるのは本意ではなかったし、今のところは他に選択肢はないと単純に割り切れた。きっとお互いがうとましくなるときは、同時に来るのだろう。そのときになったら、考えればよいのだ。

このとき、私の体から抜けていった力、それはきっと「先のことを計画してしまいすぎる力」だった。今、目の前にお母さんがいて、ここにいたいと言っている、それだけがわかっていることで、あさってになったらやっぱり帰ると言い出すかもしれない。なのに私はやっきになって、自分の決めたことをしようとしていた。しようとして変な力が入ってしまっていた。

「まあ、いいや。別に。納得した。」

私は言った。

「うん。ありがと。」

お母さんはそんなに嬉しくはなさそうな声で言った。

きっと私を知り抜いていて、断れないことをわかっていたのだろう。ただ単に「この会話、時間のむだだな」と思っていたのだろう。読まれていることも少し悔しくはあったけれど、私はあきらめた。断る実力がない自分が悪い。

私は窓辺に行ってお母さんの隣に座った。

この人は、この年齢から突然人生が白紙になるなんて。がんばって育てるような年齢の子供もいないし、ばりばりに働かなくてはいけないわけでもない。そう思った。その上私たちにはいつでも重く暗い後悔の影がこびりついていた。

ある意味では、なにをしたって、ここで暮らしてみたりしたって、もう私たちは二度とは元には戻れなかった。ずっとこれを抱えていくしかないのだとわかっていた。たまに全てを忘れられたかのような明るい時間があっても、その底にはいつもその影があった。それを全部持って歩いていくのが人生だともう私たちには痛いほどわかっていた。何回ものどが痛くなって血が出るまで泣いて苦しんだ後にも、楽になったわけではなかった。ただ平気なふりをして持ったままでいるだけなのだ。

間取りからしてあまりにもきちんと家庭っぽいあの実家の中では、お互いの役割がきちっとしていて、自由に話すことがあまりできないということはわかっていた。

「ねえ、うちってかたくるしかった？」

お母さんは言った。

「いや、うちは、普通の家庭に比べれば、ミュージシャンの家だったからなのかもしれないけれど、かたくるしくなかったと思う。」

私は言った。

お父さんが帰ってくるのは夜中だし、いつも音楽が流れていたし、お父さんの友達が家に来ると徹夜で騒いだり小さい音でセッションしたりしていたし、お父さんが海外のライブでの演奏のお手伝いを頼まれるたびに、父のライブを手伝いにいくという名目で学校を休んでお母さんといっしょについていったりもしていた。タイや、上海。ボストンや、NY、それからパリ。韓国や台湾にも行った。みんな貧乏旅行だったけれど、どの旅にもいつも音楽があり、ときには移動のバンに乗せてもらったりもして、バンドの他の人の、世代の近いお子さんたちと仲良くなったり淡い恋をしたりして、ヒッピーのようで楽しい子供時代だった。

「じゃあ、私って、かたくるしかったかしら。」

お母さんは言った。

「そりゃあ少しはね。でも、だれかがかたくるしくないと、家なんてちゃんと回っていかないし。それに、きっとね。」

つばをごくりと飲んで、言いたくはなかったけれどずっと、幼いときからずっと思っていたことを、私は言った。

「お父さんは、私たちがいなかったら、きっとね、なにかがあって、もっと早くに、死んでいたと思う。」

お母さんは、私をびっくりした目で見た。そこには言葉にはしなくても、やっぱり？　という言葉がしっかりと浮かんでいた。

「ありがと。」

やっぱり、の代わりにお母さんはそう言った。

茶沢通りはたいていいつも車通りが少なく、まるで人が歩いていくように自然な流れで車が行き交っていた。向かい側には私の働いているビストロ、レ・リヤンが見える。二階の喫茶ミケネコ舎の古い窓ガラスには淡いランプの光がともっている。霧雨にかすんで、全てが夕方に向かって淡く溶けていくように見えた。

お母さんは私の仕事場に毎日のようにランチを食べにくるのだろうか。こんな暮らしをするなんて思ってもみなかったなあと私は思った。なにも変えないでおこう、お母さんのためにタオルを用意したり、コップを買ってきたりしないで、居候気分を味わってもらおう。

いつも泊まりにくるときのままに、客用ふとんをしいて寝続けてもらおう。今、きっとお母さんにとって、家にある高かったテンピュールのマットレスよりも、この家のせんべいぶとん（ただし、かけぶとんは奮発して羽毛だった）のほうが、心地がいいのだ。

きっと今夜も、へとへとになって帰ってきてお母さんがいたら、ひたすらにうっとうしいなあと思うだろう。それは当然なのだ、それでいいのだ。私も自由にうっとうしいと思うようにしよう。

「それにね、うちにいるとお父さんの幽霊が出るのよね。」

そのとき突然、お母さんはさらっと、上の空みたいな感じで言った。

「うそだ！」

私は言った。

「ほんとうだってば。明け方に目を覚ますとベッドの反対側に普通に寝ていたり、ふと見るとソファに座っていたりするのよ。」

お母さんは普通に続けた。

「お母さん、悲しくて、おかしくなっちゃったの？」

私は言った。

「お母さん、絶対そういうの信じない人だったじゃない。私が学校の怪談みたいなのをＴＶで観てこわがっていると、いつだってばかみたいって相手にしてくれなかったじゃないの。」

「そんな私が言っているからこそ、説得力があるんじゃない。私だって信じてないわよ。だからだんだんほんとうに気が狂いそうになってきて、ここに来たのよ。だれだって好きで娘の貧乏臭い下宿に転がり込んだりしないって。」

　お母さんは淡々と言った。

「ちょっとお茶でも飲まない？　よしえ、いれてくれない？」

「何茶がいいの？」

　私は言った。

「紅茶。なんかこの窓辺でお茶を飲むとカフェにいるみたいなのよね。カフェテーブル買ってもいい？　アンティークの家具をちゃんと直して売ってるお店あるじゃない、あそこで。昨日さ、井ノ頭通りを散歩していてあそこを見つけて、もうはまっちゃったわ。ずっとずっと眺めていたの。若い男の子がさ、半袖の腕の筋肉をいっぱいに使っていっしょうけんめいやすりかけたり、ニスを塗ったりして家具を手直ししてる姿っていいね。萌えるよ〜。」

「ああ、あのお店。いいよね。安いし。それにこの部屋には骨董《こっとう》っぽいのが合うよね、お母さんのお金で買ってくれるぶんにはいいよ。そこでごはん食べるのもいいしね。私の働いている姿も盗み見れるし…なんて言ってる場合じゃないけど、とにかくお茶いれるね。」

　お母さん、「萌える」ってそんな言葉どこから、と思いながらもさりげなさを装って私は言った。外国に来たばかりの人がその国の言葉になじもうとするように、今のお母さんは若者の街になじもうとしているに違いない。

「お母さん、家から持ってきた新しいダージリンの葉っぱ、どこにいれた？」

「ああ、冷蔵庫の中。」

「オッケー。」

冷蔵庫をあけながら、私は思った。このやりとり、これじゃ実家じゃないか！　ちっとも親離れできないよ。

でもまあいいや、今は今だし、ここはここ。今日は今日しかないし。もしかしたら、お母さんと暮らせるのだってこれが最後かもしれないし、そうでないかもしれない。そして、お母さんだって、もしかしたら…と思ったら、胃がきゅっと縮まった。見た目以上に内面はせっぱつまっていて、お父さんみたいに、ふいっと消えてしまうかもしれない。そうしたら同じように、あっというまにもう二度といっしょに暮らせなくなってしまう。

あの部屋で幽霊を見たとか言ってノイローゼになって死んでしまうよりも、百歩譲ってもしいるとしてもお父さんの幽霊と暮らしているよりも、ここで生きている私にべったりしているほうが、まだずっとずっといい。

窓辺のクッションにもたれてひざを抱えているお母さんは頼りない感じがした。

私にとってもここは新しい町だ。お母さんといっしょにまるで楽しいかのような時間を過ごしていると、人生をやりなおしているようだった。

私はそこにトレイに載せたお茶を持っていき、いっしょに座った。

そして、さあ、と話をうながした。

「なに？」

びっくりした顔でお母さんは言った。

「お父さんの幽霊の話、してよ。気になるよ。」

私は言った。

「さっきしたので全部よ。うちの中に、たまに、普通にお父さんがいるの。そうすると、私、なにがなんだかわからなくなっちゃうの。会話はできないし、目が合ったりすることも特にないんだけれど、ただうろうろしているのよ。生前と同じ感じで。お互いが空気みたいにいるいつもの感じなの。あまりにもいつもの感じだから、なにがなんだかわからなくなっちゃうのよ。」

お母さんは言った。いつまでも普通の調子なので、また「あっそう、そうなんだ」とこちらも普通に思ってしまいそうになった。

「ねえ、でもそれだったら、もしかしてお父さん、今お母さんがいなかったら、あの家で淋しくさまよってるんじゃないの？　ひとりにしたらだめなんじゃない？　成仏できないとか。だれかいてあげないと、かわいそうじゃない？」

　私は言った。

　お母さんは目をふせて、こらえきれないかのようにぷっと笑った。そして言った。

「だれかいてあげないと、自殺しちゃうってか？　殺されちゃうってか？」

　それもそうだ、と私は思った。もうおそれることはなにもないのだ。

　お母さんは続けて言った。

「よっちゃん、なんで他の女と心中した後のお父さんが淋しいかどうか心配してあげなくちゃいけないの？　それにさ、あれ以上成仏しない死に方はないと思うよ。どうせ、放っておいても成仏なんかしないよ。」

「確かに。」

　私は言った。

「じゃあ、おはらいとかして、成仏するようにもっていくとか？」

「ゆくゆくは考えなくもないけれど。」

　お母さんは言った。

「今はまだなんか憎たらしくて。そういうことって、よく知らないけど、心の奥底でほんとうにゆるしてあげてないと、してもしかたないんでしょう？」

私はお父さんと親子の関係だから、憎たらしいなんて思っていなかった。ただ気の毒に、あの夜明け前みたいな淋しい道を、どんどん進んでいってしまったんだなあと思っただけだ。

もうあまり家にいない私、もうそんなにお父さんを好きじゃないお母さんでは、どんなにあたたかくても家に呼び戻すほどの吸引力はなかったのだろう。小さい子供というのは糊《のり》みたいに家族をくっつけている。でも、もう私は大きくなってしまった。強烈に色っぽい女性が引きつける力に逆らうほどの力を私たちは持っていなかった。

それでも、お父さんに会えないことがとても悲しい。もともと最後のほうは顔を合わせることが少なかったけれど、それでも会っているときは、お父さんが私をしみじみと好きだということをいつでも感じることができる関係だった。

でも、あたりまえだけれど、男女の関係であったお母さんにとってはそんな単純なことではないのだった。家族なのに立場が全然違って、そこのところはもうどうにも溶け合うことはない。お父さんはもともとふたりの間に別々の像を浮かべるホログラムみたいなものだったけれど、死んで（お母さんの言うには幽霊になって）、ますますそのことがはっきりとした。

三人で出かけたのは私が子供の時期だけだったし、大人になってからは私と両親のそれぞれが出かけることはあっても、みんなで会うのはライブのあとくらいだった。何回かの、多分肉体関係に至っていないくらいの軽い浮気が発覚した後はもう、お父さんの音楽生活や人間関係をあまりじっくりとは見たくなかったお母さんは、打ち上げに行かずにいつも私と早々にライブハウスを出て、私とだけ晩ご飯を食べて帰った。

もしもお酒を飲めたなら、お父さんはもっと早くに死んでいた？　それともバランスを取りやすかった？　と私はいつでも思うし、答えはわからない。淋しがりやだったお父さんは、ほとんど飲めなかったのにお酒の席は大好きで、打ち上げに出てよく夜明けに帰ってきた。世間から見たら、たくさんいるバンドマンのひとり、いつでもとりかえのききそうな細身のキーボード奏者に過ぎないのかもしれないけれど、私にとってはたったひとりのお父さんだった。

お父さんのバンドはごくふつうの五人編成だったが、彼らはいろいろな音楽をやりたくて様々なジャンルからゲストを呼んだ。カリンバとかマリンバとかジャズ界のいろいろな楽器の人とかケーナとか。ダンサーを呼ぶこともあった。そうすると人数がふくれあがって、ギャラがどんどん安くなる。その分、他のいろいろな仕事をしても苦に思わないくらい、お父さんはまじめに音楽が好きだった。うまくまじめすぎてつまらない演奏だと言われることもあったが、音楽をおろそかにすることはない人だった。そういうところも好きなところだった。

　音楽を演奏しつくして夜中に帰宅したお父さんと、なんとなく帰りを待っていたお母さんがしゃべっているのを聞くと、かなり大人になってからも、私は小さい子供のように安心したものだ。

　お父さんが玄関を入ってくると、お母さんはふらっと寝室からリビングに出てきて、今日ライブの帰りに私となにを食べにいったか、ライブはどうだったか、だれが来ていたかなどをぼそぼそ話していた。お父さんはいちいちきちんと答え、そしてやっとほっとしているように見えた。

「長い一日の終わりに、母ちゃんになんでもないことをちょっとしゃべる」、それがお父さんの一日の終わりのいちばん大事なことだった。本人から聞いたので間違いがない。結婚していちばんよかったのはそれだと口ぐせのように言っていた。なんでもないことをしゃべれる相手っていうのが、世の中には意外にいないもんなんだよ、と。

　お父さんは、殺されちゃうときにお母さんとしゃべれなくて、ものたりなかったのではないだろうか。なにか言い残したことがある気がしてさまよっているのかなあ。そりゃあ、あるだろうなあ。その日に自分が死ぬってわかっていなかったんだろうから。まあ、わかっている人のほうが少ないと思うけれど、まさか隣にいる人に殺されるって思わなかったんだろうし。こわかったのかなあ、自分だけは大丈夫だとどこかで思っていたのではないかなあ。

幽霊を信じていなくても、やりきれない気持ちになった。

私はまだ子供すぎて、割り切れるものが好きなのでよくわからないけれど、人はきっといつも同じようでいられるわけではない。きれいできちんとした理由のためだけに生きられるわけではない。それを目指していないとばらばらになってしまうし、気持ちがよくないから割り切っているふりをしてかろうじて自分を保っているのかもしれない。

お父さんの中で、音楽に接していることも、私といっしょにいて楽しいということも、お母さんとの関係がこれ以上どこにもいきようがないくらいに安定していたということも、お母さんの漠然とした、うっすらといつも霧みたいに漂っているお父さんに対する期待が真綿でしめるようにお父さんをいつも圧迫していたことも、あの死に方に少しずつ関係があったのかもしれない。お母さんはとても強い人なのでいっしょにいるだけで苦しいときがあるのだ。

悲しいのは、お父さんのほんとうの気持ちをわかるのは、お父さんだけだということ。私がそれを知りうることは一生ないということ。そしてお父さん自身がそれをもう見たくなかったのだろうということ。

ビストロでの仕事は毎日がめまぐるしく忙しかった。

まず私がお店の鍵をあける。パンをこねて、発酵させておく。そしていすをあげて猛然と掃除をしはじめる。そのあいだにもお湯をわかして、ゆで野菜やサラダの野菜の下ごしらえをする。足りないものがないかどうかチェックして、あれば仕込みをしておく。それからだいたい四十個くらいのパンを焼く。

その頃にシェフのみちよさんがやってくるので、私はアシスタントに回り、お客さんがいらしたらサービスを始める。あとは二時半まで嵐のように時間が過ぎていく。

三時過ぎにいただくまかないはものすごくおいしいし、そのときに作りかたを教えてもらったりもできる。それから休憩の時間になり、やることがない日はちょっと街を歩いたり、部屋に帰って寝たりもできる。

夜の部はお酒を飲んでゆっくりしていく人が多く、あっというまに閉店時間になってしまう。

土日はものすごく混むのでもうひとりの頼もしいスタッフ、とてもお酒に詳しい森山さんという男性がやってきて手伝ってくれるが、私ひとりしかいない平日でもひまな時間はほとんどなかった。だいたいいつも満席で、みんなゆっくりとしていくのであまり回転はしない、そういう店だった。ただ、ランチでもビールやワインをちょっと飲む人が多くて、つきだしのようなものをランチとは別に用意しておかなくてはいけないのは、いつものことだった。

つきだしと前菜の用意は私がすることになっていたので、下ごしらえをしたり、野菜を洗ったりをひまをみてひたすらにしなくてはならなかったし、お店の掃除をしたり、グラスを磨くのも私の仕事だった。

フレンチではさけて通れない銀座でもない、青山、麻布でもない。ちょっと気取った自由が丘や広尾でもない。下北沢にあるこのビストロでどうしても修業したかったことには、理由があった。このお店に特別な思い入れがあったのだ。


お父さんが死んだ後、お母さんは当然のことながら、なにも飲んだり食べたりできなくなった。いつも横になっていたし、起きて黙っているように見えるときはいつも「うっそー、うそでしょう」と小さい声でつぶやいていた。

信じられないからとお仏壇も作らず、お父さんのアップライトピアノと自慢のスピーカーと真空管アンプのある部屋に写真だけ飾って、お花だけは絶やさなかったから現実をわかっていないわけではなかったのだろうが、それでもお母さんは信じられずにいた。

ひょっこり帰ってくる気がする、といつも言っていた。

私にとっては、遺体とお骨が、お葬式や納骨の準備の忙しさが、そしていっしょに死んだという人の写真を見たりしたことが、なぜかきちんと最新のリアリティになっていた。だから お母さんほど信じられないという感覚はなかった。

それでも寝ても覚めてもなんでこんなことになってしまったんだろう？　なんで話してくれなかったのだろう？　という言葉をくりかえしていた。私はお父さんに冷たくしていなかっただろうか？　お父さんがなにか言いたそうにしているのに、気づかないですっと通り過ぎ、ぐうぐう寝てしまったりしたことはなかっただろうか？　ぐるぐるぐるぐる同じことを思い出し、考え、悔やみ、また考え、ふと忘れ、またぐるぐるの中に入っていった。

最後の朝、私は玄関にいるお父さんに、

「ねえ、ライブ終わったら来週あたり、青山で高いフレンチおごってよ。」

と言った。

お父さんは靴を履きながら、

「高いってどれくらいだよ。」

と言った。

「ええと、一万五千円くらい。ワインは別だよ。すごく高いワインっていうのを一度お店で飲んでみたいの。」

と私は言った。

「そりゃほんとうに高いな！」

いつものボロボロの旅行鞄を忠実な犬のようにぴったりとわきに置いて、お父さんは笑った。

その日の夜、銀座で友達の店でやるライブをちょっと手伝いにいくとお父さんは言っていた。確かにライブには出たそうだ。

打ち上げにちょっとだけ顔を出してから、お父さんはその女性の車で東京を離れ、茨城の温泉宿に素泊まりで立ち寄り、食事に出ると宿の人に告げて車で出ていき、近くの居酒屋でごはんを食べた後に、死んだのだった。

私とお母さんは「お父さん、携帯忘れていった、連絡とるとまずいことになると思ってわざと忘れたのかも、憎たらしい、帰ってきても家には入れてあげないから」なんて言って、お父さんがほとんど初めての無断外泊をしたのに簡単に受け流してしまった。

私は、出ていくお父さんに鞄をとってあげた。お父さんはそれを肩にかけた。

「おいしいものを食べて味のことを勉強したいんだもの。」

私は言った。

「それもそうだな、じゃあ、帰ってきたら日にち決めような。」

お父さんは少し悲しそうに見えた。

その「帰ってきたら」に嘘はなかった。お父さんは死ぬ気などさらさらなかったのだ。

「いいなあ、私もライブ行きたいけど、今日は夕方に友達のカフェを手伝いにいく約束しちゃった。急に欠員が出て、手伝ってって。」

私は言った。

「遅れても来ればいいのに、銀座。ゲストだから出番少ないけどね。」

お父さんは言った。

「でもきっと遅くなるもの。間に合わないよ。デートは、青山のフレンチまで待って。」

私は笑った。

「わかったよ、じゃ、行ってきます。」

お父さんはそう言ってすっと出ていった。見慣れたブルーの半袖のシャツがひらっとしたのを目の端でとらえた。お父さんがあのドアを生きて出たのはそれが最後だった。

何回も何回もそのシーンを巻き戻して、やりなおす。うん、行くよ、お父さん。いや、そんなのじゃ足りない、とにかく今すぐこのまま何も持たずについていく。そう言えばよかった、と何回も悔やみなおす。足にすがりついて、行かないでとおいおい泣いて、家に閉じ込めてしまえばよかった。目の前でばたんと倒れたふりをして、行かせなければよかった。

そんなことできるはずがないとわかっているのに、頭の中で何回もやりなおしている自分に気づくことをくりかえした。

くりかえしているうちに、嘘の映像はどんどんはっきりしてゆき、お父さんのほんとうの面影はどんどん薄れていった。

お父さんがいなくなってしばらくのあいだ、食欲がわいてくることはもちろんなかった。

ある日曜日の午後、私とお母さんはどうにもこうにも息苦しい気持ちで、それぞれの部屋にいた。おなかは減っているけれど、食べる気がしない。

私がなにか作ろうかと思っても、おかゆやスープさえ重く感じた。サラダを作ろうと思って野菜を買ってきたのに、その緑がまぶしくて全く食べる気になれなかった。

「ねえ、お母さん。なにならは食べられる？　なにか少しでも飲んだり食べたりしようよ。でないともっと弱っちゃう。」

私はベッドでぐずぐずと泣いているお母さんの生あたたかい背中をさすりながら言った。

「かき氷なら。」

お母さんは唐突にそう言った。

ものすごく暑い夏だった。外に出ただけでアスファルトの熱気に蒸し焼きにされてしまうような、夜になっても少しも涼しくならず息が苦しいような。

こんなにも暑いから、お父さんの遺体も冷やしてあったのだな、と私はふっと、なぜかとても静かに思った。

窓の外の青空の濃さが、その気持ちにしっくりときた。ほんとにもういないんだ、お父さん。

お母さんをむりやり立たせて、ほとんど寝間着のままでふたりでタクシーに乗り込み、下北沢を目指した。何回か友達と行ったことがある、私の知っているいちばんおいしいかき氷があるお店レ・リヤンを思い描きながら。

お店のドアをあけたとたんに冷たいクーラーの風と熱気が混じり合って、なんともいえないまだらな感じがきゅっと体をとらえた。私たちはいちばん奥の窓辺の二人がけの席にどちらからともなく座り、ため息を同時についた。

窓から入ってくる夏の光は右腕だけをじりじりと焼いていく。お母さんはだまって外を見ている。どこに行ってもみじめでみすぼらしい、捨てられたみたいなふたりだった。

今はちゃんと「みちよさん」と呼んでいるが、そのときは名前を知らなかったみちよさん、きれいで姿勢のまっすぐなシェフがにこにこして「まだお時間は大丈夫ですよ。」と言ってくれたので、私たちはマンゴや白桃とカシスのかき氷を注文した。

氷は細かく、果物はほんとうにおいしかった。甘みはまるで天国の食べ物のように心にも胃にもしみてきた。自問自答と後悔を繰り返し、熱く回転し続けて休めなかった頭の中がひんやりと気持ちよく休憩しているのがわかった。

開け放ったドアからときおり熱い風が入ってくるのも気持ちよかった。

「なんだかおなかが減ってきたような気がするわ。」

とお母さんはつぶやいた。

古い建物をそのまま利用した内装は、パリの裏通りにあるビストロみたいで、その旅行気分が私たちを気楽にさせた。ほとんどなにものどを通らず、カフェオレとかビスケットやインスタントのスープばかり食べていた私たちは、ほんとうに久しぶりになにかを食べようと思い、麦の入った大きなサラダを頼んで、ふたりで分け合って食べた。カリカリに焼いたフランスパンやたっぷりの生ハムや麦がのっていた。ヤングコーンやプチトマトやオクラやきゅうりも、みずみずしいレタスに混じってふんだんに入っている。

「すごい、これ、おいしく感じる。久しぶりに味っていうものを感じた。体は生きてるんだね、心は死んでいても。」

とお母さんはうつろに、つぶやくように言った。

私たちは、かき氷に続いて、そのサラダをがつがつと食べて、コーヒーを飲んで、やっと落ち着いた。何ケ月ぶりの落ち着きであろう、と私は思った。

そして窓の外をぼんやりと見ていた。お店の中に流れている時間は自然な時間、何ものにも阻害されない自分だけの時間、そう思えた。

そんな時間があることも忘れていたのだ。

だれかが足りない、どこかに行けば会えるのではないか、そうすればすっきりするのではないか、そういう思いをいつもためていた。

私たちはその場で泣きはしなかったけれど、体中の細胞が急に栄養が入ってきたことに喜んでいる様子は、スピードを出している車の中で窓を全開にして涙を飛ばしているようなすがすがしい感じだった。疲れ果てて旅の果てにたどり着いた目的地でやっと腰を下ろしているような。

みちよさんは私たちの境遇を知るわけもなく、なぐさめてくれるわけではなかったけれど、彼女の持っているものをただ誠実にお皿に載せていた。お店全体にそういう空気が流れていた。なによりも確かなものがそこには存在していた。

それからしばらく、私とお母さんは気持ちが弱るたびにどちらからともなく誘い合い、そこに通った。サラダを分け合い、かき氷ですっきりとして、その最悪の夏をなんとか乗りこえた。二人とも痩せてしまってふらふらしていたが、そこではまるで幸せな母子みたいに、そのメニューをいつも味わっていた。

夏の午後や空がピンクになる夕方、あのお店の床や窓をじっと見つめていたいろいろな場面が、今となってはなぜかかけがえのないすばらしいものとなって心の中に生きている。

夏が終わり、かき氷の季節が終わり、秋が来て、冬になっても、私たちはレ・リヤンに行った。

店のある建物、露先館《つゆざき》の角にある大きな桜の木に花が満開になる頃には、お母さんも私も普通に飲んだり食べたりできるようになっていた。それでも食欲がないときや家にいるのがどうにもたまらなくなったときには、合い言葉のように「あの麦のサラダだったら食べられるかも、行こうか！」と言って、お互いをはげましてタクシーやバスに乗った。


だから、一人暮らしと同時にためらいなくレ・リヤンで働き始め、それをとにかく生活の中心にしようとすぐそばに部屋を借りたのは、私にとって当然のことだった。

確かにお給料も安いし、下北沢は観光地のようなものなので忙しいのはわかっていた。

それでも、これほどに気がまぎれることがあるだろうか、と私は思っていた。そう、私にとっていちばん大事なことは気がまぎれることだったのだ。

だれが入ってくるかわからないスリル。体を頭と同時に動かすスリル。店というものが生きていて、自分次第でどうにでも変化していくアメーバのようなものである、その緊張感。全てが肌に合っていた。ここでの修業がどれだけ将来意味を持つかもはっきりと見えてきた。

そうすると、だるいから花のお水を換えなくていいか、とかちょっと失敗したけどシュー生地をこのまま使っちゃえ、とか思わなくなる。

自分の中での小さなつまずきをそのままにしておくと、それがかなり早い時期に自分にはっきりと返ってくることを、私は学び始めていた。食は人間の本能に関係があるから、いっそう露骨にいろんなことが出てしまうのだ。はじめは自分の胸だけにしまっておいても、なにか別の形で必ず表に出てしまう。まじめに、地味に、個性や思い入れをなくして、ていねいにやること以外にはなにもできることはないのだ。

お父さんがもしももっと食いしん坊だったら、楽しいことがひとつ増えて、この世につなぎとめてあげられたかもしれないな、と私はたまに思う。

食べることにさほど興味がないお父さんだったが、私が作るものだけは一生懸命に食べてくれた。それでお母さんがやきもちを焼いてしまうこともあるくらいに、残さずに食べた。

いつか君のやってる店に行って、ひとりでフルコースを食べよう、がんばってワインも飲もう、とお父さんは言った。それまで生きてなくちゃな、と言っていた。それなのに。

数年前の私は、今よりも料理が下手だったから、とても悔しく思う。

お父さんの中で私の料理は永遠にあの時止まりなのだな、と思う。

反面、お父さんのようなあまり食べない人が楽しめるようなものを作りたいという健全な希望もわいてくる。そのお店にいるだけで、少し活気がわいてくるような、食べることも悪くはないな、と思うような。

お父さんは数年前、私の作った小さなオムライスを食べながら、そう言ったのだ。

「これまであんまり興味がなくて、食えりゃいいと思ってたけど、娘が大人になってこういうのを作ってくれたのを味わうと、違ってくるね。食べることってのも、そんなに悪くはないな。」

下北沢での私の生活は、ただひたすらにお店を中心に回っていた。

朝起きて、まだお母さんが寝ていると鬱にでもなったかとぞっとしたが、そういうわけでもなく、私が起きて動き出すとお母さんも起きて、義務的にではなくコーヒーをいれてくれる。

お母さんが義務的にいれないコーヒーというのが、濃くて熱々で香り高く、どんなにおいしいものかを知って私はショックを受けた。

これまでのお母さんの私に対する世話する行動は全て習慣か義務からしていたのであって、今は違う。いっしょに飲みたいからおいしくいれる。その違いの大きさといったら！

お母さんは朝ご飯の支度をしてくれることもない。それもよかった。

そのかわり、残ったパンとか、昨日のごはんで作ったおにぎりを出してくれることはある。私もお店でもらった残り野菜で作った冷え冷えのラタトゥイユを冷蔵庫から出したりする。それをつまんだり、朝のTVを観ながらちょっと会話をしたりする。ちょっとしょっぱいね。おつまみならちょうどいいかも、などという、親子であることとは全く関係ない会話。それでもそこにいるのがお母さんであることで、私は必要以上に安心している。思い切り留守にできるし、意外にいらいらが爆発することはなかった。私はほとんど家にいないが居場所ははっきりしすぎるほどはっきりとわかっている、ということで、うまく回っている。

掃除はお母さんがけっこうまめにしてくれるけれど、前みたいに完璧ということはない。お父さんがきれい好きでひまさえあれば整理整頓していたので、目黒の家はいつもぴかぴかだったのだ。

お母さんは前みたいに、私の携帯やメールを興味本位でちらりと見てしまうこともない。自分の携帯電話をいじりまわしているだけで、私の暮らしをさぐるでもない。休みの日に出かけて久しぶりに会う友達と飲んで遅く帰ってきても、特に興味はないという感じだし、あれこれ聞いてくることもない。

学生のときに門限などにも厳しく、もっと私の生活に興味を持っているようだったのは、単に役柄による属性だったのか、と私は思った。

朝、時間がなくなりさくさくと着替える私に、お母さんはいってらっしゃ〜い、と言う。それはお母さんとしてのいってらっしゃいではないのだ。

なにが違うと言われても、うまくは言えない。

なにかを放棄しているし、これからの自分の時間についてだけ考えている。

ちょっとむっちりとしたお母さんが、おなかの肉をデニムのウェストの部分にのせながらTシャツやトレーナーを数枚着回ししているのも新鮮だった。部屋の中では、商店街の真ん中くらいにある若者向けのセレクトショップで買った男物の分厚いスエットの上下を洗って干しては着ている。ごろごろしているときもあれば、積極的に出かけているらしい日もあり、私は昼間にお母さんがなにをしているか全くわからない。

そういう日々が続いていた。

そんなふうな数枚の若者くさい洋服と、近所で買ったファイヤーキングのスヌーピーマグカップ以外にはほとんど買い物をしている様子もなかった。

お母さんはひまがつらくて、私のバイト先の店に入り浸るのではないかと思っていたので、拍子抜けしてしまった。

そういうふうに、お母さんという型から出ているお母さんを、私は初めて見た。

たとえば、そのスヌーピーのマグカップを、お母さんは自分の分ひとつしか買ってこなかった。家にいるときはそんなことはなかった。みっつそろえるか、少なくともふたつは買うはずだった。

お母さんの若いときはこういうふうだったのだろうか？　とたまに思った。学生のとき、恋をしたりバイトをしながら、お母さんは友達の下宿でこんなふうにつつましく暮らし、窓辺で空を見上げていたのだろうか？

山田商店で買ってきた小さなテーブルにもともとあった丸いすを合わせて、でもそこにはたいていいすわらずにいすに腕とあごを乗せて、お母さんは子犬のようにちょこんと窓辺に座っていた。

「ねえ、いったい、毎日なにをして過ごしているの？」

私は聞いた。

「ないしょよん。」

にやりとしてお母さんは言った。

「そんなあ。だってお母さんは私がどこにいるかばっちり知ってるじゃない。」

私は言った。

「そこ。」

お母さんは窓の外を指差した。

古い木の扉と三角の窓がある、私のバイト先が見えている。

「でしょ？」

私は言った。

「なんか聞きたくなるのよ。親子が逆転したみたいな気分。」

心なしか、お母さんは少しやせて、お肌もここしばらくの真っ青だったり荒れている感じよりも若返っている気がした。今日のお母さんは下北にお店を持ち実際に住んでもいる曽我部恵一というすてきなロックミュージシャンが絵を描いた、淡いピンク色の「アイラブ下北沢」のTシャツを着ていた。けっこうタイトなサイズを着ていたので「お母さん、その色ちょっとブタに見えるよ」と言いたかったが、自粛した。

そんなTシャツ、いったいどこで手にいれたんだろう。下はいつもの古着のデニム。もうかなり寒いのに裸足。信じられない、真夏でもきちんとストッキングをはいていたようなお母さんが。

「いろいろなパターンがあるわけよ。」

お母さんは言った。

「まあ基本的には、朝起きて、よっちゃんと軽くごはんを食べてゆっくりコーヒーを飲むじゃない？　それで、あなたを見送って、向かいのお店のドアに入っていくところを見るの。よっちゃんの『おはようございます』がちゃんと聞こえるよ。」

「恥ずかしいなあ、授業参観みたいで。」

私は言った。

「大きい声で、あいさつができているうちは、ものごとを間違うことはないわよ。それはほんと。だから、いつもほっとするの。ああ、よっちゃんはいい子だなあ、神様ありがとうございます、と思います。」

お母さんはまじめにそう言ったので、私は照れくさくなった。

「それからしばらくぼうっとして、片付けをするわけ。ここには食器洗浄機がないから、手で洗わなくちゃじゃない？　そこのかごに食器を伏せて、なんと、ふかないのよ。自然乾燥。」

「そんなにたくさん食器ないものね。」

「で、それから軽くお掃除をします。はたきとほうきとちりとりとぞうきんだけで充分。簡単でいいね。トイレ掃除もします。和式っていうのがちょっとつらいけど、居候の身分では、しかたがない。」

「ですね。」

「それで、携帯電話でメールをチェックして、連絡を取りたがっている人には、娘と住んでいると言っておくわけ。あっちの家に宅配便が来ていたら、あっちの管理人さんにいろいろお願いして、まあ、たまには帰っているわよ。生ものが来るときもあるしね。今は、お父さんの幽霊は見ないけれどね。お母さんが楽しい気持ちでいると、見えないみたい。っていうか、あそこで薄暗い気持ちで暮らしていると、いつのまにか同じ世界に入ってしまうのかもしれない。」

「たまにはあっちにいっしょに帰ってみようよ。幽霊でもなんでもいいから、お父さんに私も会いたいし。」

私は言った。

「うん、今度そういう、生ものとか管理組合の集いとか、抜き差しならない用事ができたら、いっしょに帰ろう。今はまだなんとなく泊まりたくないんだけど。もしもあなたがボーイフレンドと使いたかったら、あっちの家に泊まっていいよ。心配だから連絡してね。まあ、ちょっとは気になるけど、ほら、手料理で落とせるじゃない、あなただったら。高いワインなんかあけてもいいわよ、うちの。ワイン用の冷蔵庫の電源は切ってないよ。このあいだ一本持って帰ってきてみんな飲んじゃった。ごめん、言わなかった。」

「いいワインをひとりで空けたってことは、瓶でわかったよ。ゴミ出ししたの私だもの。でもさ、今は忙しくてそんな外泊するほどの余裕はないよ。」

私は言った。

「お母さんが昔ジャズ喫茶でバイトしていたときは、毎日お母さん目当てのお客さんがひっきりなしに来て、もてもてだったけどね。」

お母さんはつまらなそうに言った。

「で、お昼になったら、おもむろにサイフと鍵と携帯電話を持って、出かけます。まず、すぐそこのピュアロードのワンラブさんに行って、売り物なのかはっちゃんの私物なのかよくわからない古本を見て、店主のはっちゃんと少し会話をするわけ、まあだいたいがこれからしたいこととか、自分たちはぜんぜんだめだね、この世の中についていけないねっていう話なんだけれどさ。

あと園芸の話。蓮《はす》をいかに咲かせるか。来年の頭になったら、植え替えのときに少し分けてくれるっていうから、ここの窓辺でも蓮を咲かせることができるよ。このあたりで蓮にくわしい丹羽さんっていうかっこいい植木屋さんがいるのよ、その人が家まで来て、ちゃんと肥料も配合した土を使って植えてくれるんだって。楽しみだよね、夏、窓辺に蓮の大きな花が見えたら、すがすがしいよね。まあそんな感じのうわさ話なんかをして、はっちゃんがいつもおいしくて濃い紅茶を出してくれるから、お礼にちょっとそのへんを片付けたりね。」

「いつのまにそんなに親しくなったの。あのおじさんと。」

来年って、お母さんそんなにいるつもりなのか、と愕然《がくぜん》としながら私は言った。

「だって、ご近所さんだもの。世代も近いしさ、ぶらぶら歩いていれば知り合うわよ。

それから、日本茶喫茶に行って、店長のえりちゃんやお店で飼ってる小さい亀にあいさつをして、毎日違う種類の日本茶をおかわりしながらゆっくり飲んで、おせんべいやおまんじゅうを食べるか、コーヒーの店に行って濃いコーヒーを飲んでクリームをたっぷりつけたシナモントーストを食べるか、タイ料理屋さんがランチをやってる日ならパパイヤサラダともち米のランチを食べるの。あそこのみゆきちゃんのタイ料理は、最高ね。スパイスをつぶしてその場でたたいて作ってくれるんだよ。私、生まれて初めてタイ料理がおいしいと思った。

あの人と、おたくのみちよさんがこのへんのだんとつ料理人だね。

まあ、それがだいたい私のお昼。ロクサンでピザランチを食べるのも大好きだし、ピザならラ・ベルデもおいしいし。一人で一まいペロリよね。たまにはふんぱつして明日香で和食ランチを食べることもあるよ。で、その間に、ずっと読めなかった『失われた時を求めて』をじょじょに読み進んでいるわけ。あ、それはもちろんはっちゃんのところで全部で二千円で借りてるんだけど、貸本屋でもないのに貸してくれるっていうからさ、なんとなく二千円置いてきただけなんだけれどね。

それから、かなりミーハーな行為だとわかってるんだけれど、藤谷治さんという作家さんの新刊が出るとわかったら即、ご本人がやっている、ハンバーグの店の近くの二階にあるフィクショネスっていう書店に行ってとにかく本を買って、その場で藤谷さんにサインしてもらって、うきうきしながらミケネコ舎にかけこんで一気に読むの。それで感想のお手紙を書いて、そっとフィクショネスのポストに入れたりするのよ。その贅沢な楽しみっていったら。藤谷さんって小説が面白いだけでなくって、超かっこいいのよ。声もよく通るし、お話は最高に面白いし、とっても品がいいし、なによりも頭がものすごくいいし、手が大きくてすてきなのよね。小説の主人公そのままの知性そして面白さで、お母さんは彼の大ファンなの。もう、ほんとしびれちゃうね。ああいう感じの人と結婚したかったなあ、お母さん。

藤谷さんのお店の奥のビルの中には、若くてまじめな廣田さんがやっている、タイマッサージのサロンもあるんだ。そこはチラシを見て思い切って行ってみたんだけれど、若い人に体をのばしてもらうと、若返る感じするのよねえ。まあそんな贅沢はほとんどしないんだけれど、たまに頭が痛いときは一発で治るから、行くことがあるよ。よっちゃんも腰が痛いって言ってるじゃない？　そういうときは行くといいと思うな。いつでも紹介するわよ。

あと、大麻堂でとんでもないTシャツ買ったり、化粧水を買ったりすることもあるよ。あのお店の人、激しい見かけによらずみんな優しいのよね。姉妹店のレストランに麻料理を食べにいったりね。お通じがすごく良くなるんだよね、これが。

一日があっというまに終わっちゃうのよ、そのコースのどれかをたどっていくとね。お金もほとんど使わないのにね。

あとは三茶まで歩いていって大きなTSUTAYAに行くか、いちばん有名な、天然酵母のお店のパンを買うの。たまに朝ご飯で食べるでしょ？　あの、しっとりしたレーズンパン。それからキャロットタワーの裏にあるおしゃれなカフェでコーヒーを飲んで豆のデザートを食べてみたりね。そんなふうに旅行しているみたいなことばっかりしていると、一仕事終わった、という気持ちになるんだ。

とにかくいつでもわざとゆっくりゆっくり歩くのよ。学生のときみたいに、ゆっくり。だって、今私が持っているのは、時間だけだもん。」

「なんだか楽しそう、そして優雅だなあ…。」

私は感心した。

「一日の時間の流れって、夕方になる前にぐうっと長くなって、日が沈むと急に早くなるじゃない？　その感覚をやっと最近取り戻して、毎日毎日感じることができるようになったの。あの、ずるずるって時間が伸びて、お餅みたいに伸びて、そしてそれからきゅううって早くなるところの境目がわかるの。もうそれが楽しくって、毎日飽きない。

子供の頃はいつもそれを家の中にいたって感じていたのにさ、忘れてたしね。今、そういう時期なの。久しぶりにその全てを、なにも考えずにゆっくりと見たい。ひとりになっても、あの家にいたら、私、いつも通りにお父さんのいる生活をしてしまいそうで。幽霊と連れ添っているみたいで。靴をそろえて、掃除して、ごはんをいちおう作って、余ったら冷凍して、冷凍したものを一ケ月したら整理して。機械みたいな気持ち。

向こうにだって、もちろん知ってるお店もあるし、おともだちもいるけれど、その人たちはそこそこ有名な歌手たちのバックでキーボードを弾いているバンドマンと結婚して娘がひとりいる、そんな私と知り合った人たち。ここでの私は、何者でもない、ただのうらぶれた中年女。しかもそれが許されるお土地柄なのね。

でも、気持ちがいつもいいわけではないよ。たまに自分はなにをしているんだろうって頭をかきむしりたくなるときももちろんある。なにをしても冴えなくて、いらいらしたり、足が重くて動かなかったり、なにもかもどうでもよくなってここで一日寝込んでしまうときもそりゃあまだいっぱいあるよ。でも気分がましな日は、そういうふうに感じるの。時間が伸び縮みするなあって。まあでも、こんなこと口に出せるっていうことは、もうかなり大丈夫っていうことだから。私、大きな失恋もほとんどしないでいきなり好きな人と結婚してしまったし、嫁姑《しゅうとめ》の苦労もほとんどなかったし、こんなに長く抜け出せなくて落ち込んだこと自体が、親が死んだときくらいしかなかったからなあ。でも、親はそのときもういっしょに住んでいなかったから、今みたいに日常が破壊されちゃったっていうことはなかったしなあ。落ち込むことのシステムも、もう体がすっかり忘れていたみたいなの。」

お母さんは言った。

「あのさ、私、ほんものの住民じゃないし別に反対運動をしたいわけではないけど、もしも駅前に大きなビルができても、そこで働く人たちって、今みたいに顔を合わせるたびにあいさつとかしていても、きっとすぐ回転していなくなってしまいそうじゃない？　別の店舗に異動になるとか、バイトだからすぐ辞めちゃうとか、しそうじゃない？　材料とかも、おおもとのところから冷凍とかなにかで届いたりして、いちばん和む今日の買い出しの話とか、新メニューに挑戦して失敗した話とか、聞こえてこないような気がしない？　あくまでイメージの上のことなんだけれど。

人と知り合うのって時間がかかるし、まして好きな感じの人かどうかをわかるのにはもっともっと時間がかかるのに、そんなに回転が速くなって、素性もわからなかったら、どうしたらいいんだろうって思ってしまうのね。

ここは、なんとなく長くここにいる人たちが多いから、そしてまたその人たちが私とそんなに遠い世代ではないから、なんていうかさ、楽。気取らなくてていいから、そのままで出かけられるし。

もちろんこんなのまやかしだって知ってるよ。お金を稼いで苦労してここに住んでいるわけではないんだもの。」

「まやかしじゃないよ。こうしてるあいだもいつだって地面に足がついているものだし、反面浮き上がっているようなものでもあるし。お母さんは、お父さんの世話をしてきて、私を育て上げて、家計の管理も家事もしてばりばりに役割にはまってきたんだから、これからもこんなふうにしていていいんじゃないかなあ。今だって私、ともだちのように住んでいるようだけれど、お母さんにずいぶんと助けられているよ。」

私は言った。

「なんていい子なの、よっちゃんは。だいたい、私の長いグチを聞いてくれるだけでありがたいってのに。ひとりだと後悔しちゃったときのグチで頭の中が爆発しそうだったのよ。」

お母さんは言った。

「でも、そんなにちゃんとやってきたとしたら、あの人、あんな死に方したかなあ。」

「違うって、もう一回言うよ。何度でも言えるよ。」

私は言った。

「お父さんは、いい人だったし好きだったし、そしてちゃんとお金もそれなりに稼いできたけれど、やっぱりあの死に方はお母さんのせいではないよ。お父さんのほんとうの気持ちは私にはわからないけれど、お酒も女遊びも夜遊びも賭け事もなにもできなかった上に、名声とかそういうのも求めてなかったお父さんが、まじめすぎたんだよ。まじめすぎるから、浮気したとき、あんなふうに抜き差しならなくなったんだと思うよ。」

「お父さんのお友達も、だれも、そんな深刻な愛人がいたことを知らないのよ。」

お母さんは言った。

「はじめはみんなが私かお父さんをかばって、知らないと言ってくれているのかと思っていたけれど、だれもが本気で言ってるっぽいのよ。あんな女の人を見たことがない、ライブでも、打ち上げの飲み屋さんでもって。いったい、あれはだれなんだろうね？　案外昔からつきあっていたりしたのかなあ。」

「親戚だから、知り合いではあったのかもしれないけれど…最近再燃して、お互いに勢いで死んじゃったとか？　私たち、お父さんのそのこと知りたくなくて、手帳とかノートとか手紙類とか、見ないで箱に入れちゃったものね。」

私は言った。

「あのお父さんが、私たちに電話もしないで、死んじゃうなんていうことは、あるかなあ。ああ、携帯電話を忘れていったのも、運が悪かったのかな。でも、わざと置いていったのかもしれないしなあ。いくら考えたってしかたないけど、考えちゃう。」

お母さんは言った。

「なんか、あの人ってどたんばのところで要領とか運が悪いところはあった気がするんだけれど。それにしても、いくら恋をしていたとはいえ、そんなことであっさり死んでしまうほど、私たちって軽かったのかなあ。」

私はうなずいた。お母さんは続けた。

「そのことを思うと、この暮らしをせずにいられない。でも自虐的な気持ちではないのよ。リハビリなの。それに私にはよっちゃんがいるし。よっちゃんがいなかったり、自活してるから私と関わりを断つって言われていたら、もっと暗く沈みこんだかもしれない。住ませてくれて、ありがとうね。」

もちろんそうしたかったけど、お母さんが自殺したらどうしようと思って、とは言えなかった。お母さんの目にうつる私はきっと、まだ子供の姿なのだ。親を無条件に受け入れ、暮らし、好かれたいと思っている子供なのだ。違うなんてことを、言葉の上では受け入れてもきっとほんとうには決して受け入れることはできないだろう。私だってこの自立風の表面の下の鉱脈がどれだけお母さんに大きく深くつながっているのか、考えるのはこわい。考えなくていいように過ごすのがいちばんんだ。

「お母さん、目黒の家、どうするつもり？」

私は言った。

「今は、とても考えられない。」

お母さんは言った。

目黒にいた頃はエステに行っていつもお手入れしていた長いまつげが、今はマスカラもつけずにちょっとぼさっとしている。でも今のほうがなぜかお母さんは若くはっきりした輪郭に見える。

「ここにずっと住む気はもちろんしないの。でも、あそこに戻って住む自分も、どうしても浮かんでこない。」

「お父さんに聞けたらいいのにね。」

私は言った。

切実にそう思ったのだ。

お父さんさえいいと言ったら、もうさっさとあそこを売りに出して、新しく考えることができるのに。後味の悪いその死のおかげで、あの部屋は棺桶みたいに息苦しいものになってしまった。

「ほんとね、そうしたらもっとおおらかに考えられるのにな。でもこういう割り切れない時期があるのって、大事なことかもね。」

お母さんは言った。さすが大人だと私は思った。

「マダムの感じのライフって、結局、お買い物してもエステに行っても、それはありあまる性欲の代償というか、発散に過ぎないのよね。」

「お母さん、なんてこと言うの。なんかほんとうっぽくてこわすぎる。」

私は言った。

「だってほんとうだもの。でもさ、お父さんも最後に一発燃えたかったのかもね。まじめにやってきたしね。華やかな仕事のわりには。あの人は公務員とかになったほうが、よかったんじゃないかなあ。

それでさ、マダムの暮らしってなんか空しいのよ。おいしいものをコースで食べるったって、だんなのお金をむだ遣いしてるだけだもの。まあ、私はだんなのお金をそういうことには使ってなかったけど、実家のお金だったんだから同じよ。おいしいワインだって、果てがないもの。意味ないよ。たまにだったらすばらしいことだけれどね。空しいよ。精神的な飢えが根底にあるのに、他のことでその瞬間だけ取り繕っているんだから。それにこの年齢になるとほんとうの友達と近くに住めるわけでもないから、どんどん会わなくなっていくしね。」

「わりと余裕のある暮らしを、心から楽しんでいるとばかり思っていた。もうお父さんとは落ち着いてしまって別の時代に入っているのかと思っていた。」

私は言った。

お母さんはそういう意味では絵に描いたように、完璧だったのだ。

「そういえば、ブラウスはいつもクリーニングから返ってきたばかりのふわふわで、スカートの丈も、家から少し離れたところに行くときは必ず持っていたエルメスのバッグも、意味としてはもはやランドセル。もしもマダムに教科書があるとすれば『四十代後半、そこそこおしゃれでそこそこ裕福に暮らしています、夫に恥ずかしい思いをさせない身だしなみをこころがけています。週に一度はフレンチかイタリアンの外食です、友人知人の個展のオープニングに行くことも多いです』みたいな人の感じの見た目だったもんね。」

私が言うと、

「そこまで言われると、なんだかむかっとくるわね。」

とお母さんは言った。

「でも、確かにそういうの目指していたかも。」

お母さんはもしかしたらTシャツなんてひとつも持っていなかったのではないだろうか。

近所に買い物に行くときもきっちりと薄く化粧をし、素足ではあまり外に出ず、髪の毛もしっかりくくっているかセットされているか軽く巻いてあるかであった。

「いつのまにあんなことになっちゃったんだろう。目黒のせいとは言わないし、よっちゃんが私立の女子高に行っていたからお母さんたちに影響されて、とも言わない。自分が悪かったのよ。コスプレから入らないととてもやっていけないわと思っているうちに、いつしか内面まで毒されたっていうのかな。いや、毒されたっていうのは言い過ぎか、日常に追われたので精神的には楽をしようとしたっていうべきかな。」

お母さんは言った。

「人間は、はじめに思ったことがずっとずっとどこかに焼き付いていて、そのようになっていくんだと思うんだけれど、私、どこから見失ったのか、昔のことすぎてわからない。そうそう、あなたのお店、よく竹中直人さんがいらっしゃるじゃない。」

「私のお店じゃないけれど、よくいらっしゃるね。シャイで礼儀正しい方よ。」

あまりの唐突さにびっくりしながら、私は言った。

「この間、カウンターにいらっしゃるのを外からお見かけして、思い出したのよ。私、子供のとき、彼の奥様であるところの木之内みどりさんに憧れていて、大人になったらあんな女性になりたいって切に思ったはずだったのよ。」

お母さんは大まじめにそう言った。

「全然タイプが違う気がするんだけれど。すっごく遠くなってるね、あらゆる意味で。」

私はまた驚いた。そんなこと聞いたこともなかったのだ。

「そうなのよ。あんなかわいくてきれいな人はいないって思っていたし、レコードもみんな買ったし、ポスターも部屋にはってあったくらい。そのこと、竹中さんにぎゅうっと抱きついて言いたかったんだけれど、できなかったなあ。みどりちゃんがかっこいいツグトシにだまされたとき、TVの前で『だめだめ！　でも気持ちはわかるわ』と思ったものだよ。」

お母さんは言った。

「そんなことしないでよ、お母さん！」

私は本気でこわかった。ふっきれたお母さんはなんでもやってしまいそうだった。

「そうやって力をもらってきた人やものを、私は、ひとつまたひとつと忘れていったんだなあ。」

「お母さん、それって悪いけど、やっぱり、男の色に染まったというか、お父さんに影響を受けすぎたんじゃないかなあ。」

私は言った。

「目黒のマダムも、大人っぽいセクシーな女性も、きちんとしたふるまいも、みんなお父さんのほうのおばあちゃんが持っていたものだもの。」

「マザコンにふりまわされたってことか。」

「いや、影響を受けたお母さんにも責任はあると思う。でも、きっと元々のお母さんは、かわいいナチュラル系の人だったんじゃないかなあ。

　お父さんは、ロックっぽいタイプの女ばっかり周りにいたけどおばあちゃんタイプにずっと憧れていたし、お母さんにもそうあってほしかっただろうし、私のこともおじょうさまっぽく育てたかったみたいだし、それとお父さんにたまたまお金がどかんと入ってきた時期が重なってしまっていたから、いつのまにかお母さんは合わせすぎていたのかもよ。」

　あわててパソコンで木之内みどりを検索し、ＹｏｕＴｕｂｅを使って動画まで見つけ、その異様なかわいさにどぎまぎしながら、私は言った。お母さんも、お母さんの原点であるらしい木之内みどりをじっと見つめていた。

「こうなる可能性もあったかもしれないのに、どこで間違えてしまったんだろう。だからって今からどうすりゃいいの。やっぱり竹中さんに強く訴えればいいの？　私と彼女はなんでこんなに違うんですかって。」

　お母さんは言った。

「いや、そのやり方は絶対違うから。」

　私は言った。

「わかってるわよ。あわてないでよ、まじめに。」

　お母さんはやっと笑ってそう言った。

「なんでもいいからお客さんに変なことしないで。シャイな人なんだから、二度と来なくなっちゃう。」

　私は言った。

「でもさあ、あなたの店のみちよさんは、ほんとうにすてきだと思う。」

　お母さんは言った。

「バイトの娘の職場にお母さんが行くのって、きっとうとましいことだと思うの。内心はね。でも、全然そういう感じを見せないし、かといって過剰に接待してくれるわけでないから、たまにあなたが働いていることなんて忘れてしまう。まあ、なるべく、あなたが休みで、もうひとりの森山くんがいるときに行くからなんだけれど。」

「私がたまに休んでるときに、私の働いているお店に、お母さんが行ってるの？」

　そんなことみちよさんからひとことも聞いていなかったので、びっくりして私は言った。

「そうよ。ぺこぺこお願いして、カウンターでお茶とフロマージュブランだけ注文するの。あれ最高ね。あの上に載ってるオレンジのぱりぱりとしたやつ、あなたが作ってるの？」

　お母さんは言った。

「そうだよ。私が朝とか夕方の時間があるときにこつこつと焼いてるの。でも、まあ。そんなことちっとも知らなかった。」

　私は言った。

「だってあんたがいると行きにくいもん。」

　お母さんは言った。

「まあ、お客さんなんだから、いつ来たっていいんだけれど。」

　私は言った。お母さんに関しては、最近なんでもすぐにあきらめがつくようになった。

「パリに行ってさ、お父さんと三人で食べたね。懐かしいね。フロマージュブラン。家族としてはいい時代だったなあ。あの時代を生きてほんとうによかった。みんなで歩いておのぼりさんらしくカフェドゥマゴにも行ったね。ほんとうに壁にふたりの中国人の像があったよね。それからお父さんにくっついてＨＭＶに行ったあと、凱旋門《がいせんもん》に上ったたね。」

　お母さんは目を細めて言った。

「うん、足が疲れたね、あれ。階段をたくさんのぼって。」

「あの放射状っていうの？　遠くまで広がっていく道を上から見るのはすばらしかったね。ナポレオンになった気分だったわ。」

「お母さん、それ、きっとね、歴史的にも気持ち的にも、微妙にでたらめだよ。」

私は笑った。

「そうかしら？　いいんじゃない。私が勝手に思う分にはさ。それから、お父さんといっしょにレバノンサンドのお店に行って、立ち食いもしたね。にんにくが利いててうまいもんだなあ、ってお父さんが言ったね。」

お母さんは言った。

「いいこともいっぱいあったんだね。うちの家族。」

私はつぶやいた。私たちのあいだで、あの旅のひとつひとつの思い出が、パリの曇り空の感じといっしょに香り立っていた。確かに三人の足は、異国の土地にその足跡を刻み付けたのに。

「そうよ、悪いところを見ようと思ったら、最後の事件はもうほんとうに最悪なだけだよ。それほどひどくはなかったよ。なにかが間違っていつのまにかずれて、ぽんと今のところに放り出されてしまっただけで。」

お母さんは笑って言った。

こういう会話はもう儀式のよう、ほとんどお経だ。

思い出をひとつとりだして、そこにひたる。

おいしい飴をなめるみたいに、あの日のパリやお互いの歩く姿や、その日の夜の会話や、ホテルの部屋の話をしては、空気をいっぱいに吸い込む。そしてまた現実に戻ってきて、ちょっと苦しくなる。

あと何回こういう会話をしたら、私たちは先に進めるのだろう、そう思わずにはいられなかった。

お父さんもお母さんもつかず離れずで立派におじいさんおばあさんになって、私は結婚して仕事しながら子供を産んで、目黒の家に遊びにいったりするはずだったのに。

今日もあの目黒のがらんどうの部屋で、お父さんはピアノを弾いているのだろうか。ひとりでカップラーメンでもつくっているのではないか。いつもみたいにぼんやりとして靴下を左右違う色はいてやしないだろうか。そう思うと、胸がしめつけられた。おかしいな、もう死んだ人なのに。

もしほんとうにその女の人を愛していたなら、あの部屋に戻ってきて幽霊になるわけがないんじゃないだろうか、そう思った。でもあの女の人の話をしただけで、少し元気になって思い出話までするようになってきたお母さんの表情がぎゅっと固くなるのがわかっていたので、言えなかった。

いったいどんな気持ちなのだろう、ずっといっしょにいた男の人が自分以外の女の人といっしょに死んでしまうなんて。

私には親を失った悲しみしかわからない。そしてお母さんには親を失った私の気持ちはやっぱりわからない。お母さんのほんとうの気持ちはお母さんにしかわからない。

その孤独を抱えながら、下北のお店めぐりをして会話を交わして、まるで新しい地図を不器用に作るように一歩一歩生きているお母さんをえらいと思った。変なやり方だが、理解できた。前向きすぎず、後ろ向きすぎないその態度を見て、なんといい女だろうと思ったのだ。


お父さんが夢に出てきたのは、その夜だった。

お父さんが家の中でなにかを探している夢だった。私は、たまたまなにかを取りにいって、鍵をあけて玄関からあの部屋に入っていく。重いドアをぐっと押したら、中に電気がついていて、私は普通に、

「お母さん？」

と言う。

玄関にはお母さんのフェラガモだののグッチだのの靴がきっちりとそろえられている。私のクロックスも、お父さんの大きなコンバースも。家族の歴史は玄関の靴の並びだなあと思う。靴があれば、その人は今日もここで暮らしているっていうことだった。

私は玄関の脇の照明を妙にまぶしく感じる。

お母さんがどこかで気に入って奮発して買ってきた、ベネチアングラスの小さなシャンデリアだ。その色とりどりの明かりが目にささるような感じがした。

「ああ、よっちゃんか、ママかと思った。」中でごそごそ音がして、私がのぞきこむと、お父さんが部屋からさっと出てくる。

「母ちゃんいないの？」

「うん。」

「下北にいるんじゃないかな？」

「下北？」

お父さんはふっと顔を曇らせ、少し悲しそうな顔をした。

「お父さんこそどうしたの？　今日はスタジオに泊まりじゃなかったの？」

「うん、見つからなくてさ、気になって戻ってきたんだ。」

「なにが？」

「俺の携帯。母ちゃんに電話一本入れとこうと思って。」

「携帯かあ。」

私は言った。いっしょにさがしてあげる、と言いたいのに、どうしても言葉が出てこない。どうしてだろう？　と私は思った。

あれ、携帯って…どうしてだか、もうないんじゃあなかったかな、でも、どうしてだろう。そう思うと悲しみがのどもとにぐっとこみあげてきた。いや、でもどうしてだかわからないから、とりあえずいっしょにさがしてあげたいのに。

足元を見つめてくやしく思い、急にいらいらして涙が出てきた。いっしょに、さがして、あげる、それだけなのに、どうしても言えない。だれかが私ののどを押さえているかのように。

お父さん、ひとりでさがさないで、こっちを見て、と私は思っているのに、お父さんはいつまでも背を向けて、電話を探している。

私はお父さんの背中を見て、今抱きついたら、全てが元に戻るかなとぼんやり思っている。とても悲しい気持ちで、夜明けに目が覚めた。

目を覚ました私は泣いてはいなかったけれど、ふとんの中でこぶしをかたく握っていた。隣ではお母さんがすうすうと寝ていた。丸い背中、浮き上がる背骨の線。それを見たらほっとしてまた私は眠った。

新谷くんと知り合ったのは、その頃だった。

私はずいぶんとお母さんとの暮らし、そして仕事にも慣れてきて、お店が終わった後におつかれさまの一杯を飲みながら片付けができるくらいにリラックスしてきた。明日の仕込みも、メモを見なくてもなにをしたらいいかわかるようになってきていた。

「ひとりなんですけれど、まだ時間大丈夫ですか？　カウンター、いいですか？」

メガネをかけて足がしっかり筋肉質で、いかにも音楽が好きそうな、しかもパンクとかハードロックではなさそうな、色白であごが四角く、こぎれいな服装をしてさわやかなのになぜか印象は少しじめっとした感じの彼がお店に入ってきたとき、私は一瞬確かに思った。

「あれ？　お父さん？」

でもよく見たら全然似ていなかった。

もし意識的にがんばって似ているところを探すとしたら、少し猫背なところくらいだろうか。

「あと十分でラストオーダーですけれど、よろしいですか？　テーブルでも大丈夫ですよ。」

私は言った。

「じゃあ、テーブルにします。」

彼は言った。そうか、声が似ているのか、と私は思った。よく響いて柔らかい感じがする少しかすれた声。もう一回しゃべってくれないかな、と私は思った。

彼は一杯のシャンパーニュと豚肉のリエットとパンを注文し、ほれぼれするくらい勢いよく食べた。機械的でなく、健やかに、がつがつとはせず。こんないい食べっぷりの人はいいな、と私は思った。強いていえばこんなに流れるように品よく食べる人は、美食の王様と呼ばれている来栖《くるす》けいという人くらいだろうか。そういえばちょっとだけその人と彼は外見も似ていた。

きっちり三十分彼はお店にいて、さらっと帰っていった。

ごちそうさまでした、というその声の余韻を、目を閉じて味わった。いい声だなあ、懐かしい感じの声だ。

妙に印象に残るお客さんだったことは確かだ。

こういうお店にひとりで来るなんて、きっと彼女とデートをするための下見なんだな、と私は思った。

でも、次に来たときも彼はひとりだった。同じように閉店間際に来て、クスクスを食べて赤ワインを一杯飲んで、帰っていった。

彼の食べているところがどんなにすてきかというのを、なんと言い表したらいいのだろう。ちょうど茶道のお手前を見ているような感じだった。ひとつの動きが次の動きにつながっていて、むだがない。速すぎも遅すぎもしない。でも勢いがある。

それに関してはみちよさんも全く同じ意見だった。

「あの人の食べているところって、見ていて気持ちがいいっていうか、作りがいがあるね。」と彼が四回めくらいに来たとき言った。

さすがみちよさんだ、ほとんど厨房にいてもお店の中を見ているんだ、と私は思った。彼はたいていシャンパーニュか赤か白のワインを一杯飲んで、メインを一皿頼んで、パンを食べて、お茶やコーヒーやデザートはめったに頼まない。

飲食のお店にいるというのは不思議なことで、ただひたすらに人の食べているところを見ているということになる。

毎日毎日見ていたら、だんだんその人のおなかのへり具合とか性格がわかるようになってきた。いつごろどんなふうに声をかけてなにをしてあげたらいいのかも、少しずつわかるようになった。はじめは気持ちをはりつめてひとつひとつ項目をチェックしていたのだが、しだいにそれぞれのお客さんの心の状態がなんとなく伝わってくるようになったのだ。あの人はもっとお水を欲しているとか、まだお茶は下げてはいけないとか、飲み物のおかわりを聞いたほうがいいかどうかとか。

わかるようになっていく過程がいちばん面白かった。

はじめはただ同じことを、地味にくりかえしているだけなのに、ある日急に見えるようになってくる。英語の聞き取りができるようになったときと全く同じ感じだった。

この世には、そうやって増やしていく力と同じ分量で、減らしていく力があることもなんとなく知っていた。同じ分量なのに、その力のほうがなぜか大きく感じられてしまうことも。それでも私は女（の子というには大人すぎる、いくらひよっこでも）なので、減らしていく力を無視していくことはできる。まるでないもののように、じゃがいもを洗うように、庭の雑草を抜くように、体を使って、違う力を得続けることができる。

私は彼が来るたびに彼の食べっぷりのなにがそんなにすばらしいのかを観察しては、ほれぼれしていた。そのほれぼれを楽しみとしてそっと抱いていた。

もちろんその感情をおくびにも出さずに。ひとりで来ている人に「いい食べっぷりですね！」なんて言ったら、きっと恥ずかしくてもう来られなくなってしまうだろう。彼は本を持ってきて待っているあいだ読んでいることが多かったが、お皿が来るとすぐにその本を閉じる、そこもよかった。そして小さい声で必ず「いただきます」と言うのも好きなところだった。

もしかしたら私はとっくに彼に恋をしていたのかもしれない。

ある夕方、休憩で部屋に戻ったらお母さんがいなかったので、私はコーヒー豆を買うついでにテイクアウトのカフェオレを飲もうと思い、南口商店街の真ん中あたりにあるモルディブという店に向かった。店先でコーヒーを焙煎《ばいせん》して、中で豆を売っている昔ながらのお店だ。南口の商店街を歩いているとモルディブのおじさんがたくましい腕でコーヒーを炒っているとてつもなく良い香りがしてくる、そのときの感じはずっと変わっていない。今日もコーヒーをおいしく飲んでがんばろうと希望がわいてくる。

冷たい空気が満ちてきている、秋の日のことだった。

店のすぐわきの桜の木の幹にちょっと触ってから、商店街に入っていった。

春にこの桜が満開になるとうちの店の茶色の壁にピンク色がよく映え、あたり一帯がいつもと違う甘い雰囲気に包まれてるのを思い出す。通る人はみな桜を見上げて笑顔になっていた。まるで楽しい映画のスクリーンを見上げる幸せな観客のように。

店の前を掃除するのは大変だったけれど、その木が大好きなので苦にならなかった。昔に一度満開の状態を見て感激してから、葉桜でも真冬でも通るときは幹にちょっと触っていたくらいだ。そんな習慣もすっかり定着して、この街に住んでいることが実感できる瞬間のひとつになっていた。

私はそこを通り過ぎ、南口商店街を歩いていった。

モルディブに入って、お母さんがいちばん好きなエクアドルの有機栽培の豆を買い、カフェオレを注文して待っていると、ふっと新谷くんが入ってきた。

「こんにちは。」

彼は私を見て言った。まあ、ここで会うのは、決して意外なこととは言えないなと思いながら、

「こんにちは。」

と私はお店にいるときと同じ顔でにっこり笑って言った。

彼は豆を注文し、私はそれを聞いていた。そうか、ペーパーで、一つ穴のドリッパー、酸味のあるコナコーヒーが好きなんですね、と思いながら。

「あの。」

彼は急に私に向かって、あらたまった態度で言った。

「あの、間違っていたら、ごめんなさい。あなたは、もしかして井本さんのおじょうさんではないですか？　スプラウトの、井本さんの。」

「ええっ？」

私はびっくりして大声を出してしまった。モルディブのおじさんが、大きな機械で豆を炒りながらちょっと顔をあげてしまうほどの大声を。

「そうです、お父さんを知っているのですか？」

私は言った。

「お悔やみ申し上げます。」

　彼は言った。

「僕は、新谷といいます。お父さんたちが定期的にライブをやっていたライブハウスのものです。」

「ああ、そうなんですね。定期的というと、あの、新宿のですよね？」

「そう、そうなんです。」

　新谷くんは言った。

「音楽がお好きなんですね。」

　私は言った。

「井本さんたちがやっていたような、大人っぽい、イギリスっぽいロックにはくわしくないけれど、日本のインディーズバンドが好きなんです。あのライブハウスは、そういうものもたくさんやりますから。はじめてあなたのいるお店に偶然行ったときはレディジェーンにライブを観にいった帰りだったんです。それで、この娘さん、見たことあるなと思って、あなたとお母さんがお父さんをたずねて楽屋口を聞いたときのことを、はっと思い出したんです。」

「ああ、そうなんですね。ずっと出させていただいていいおつきあいをしていたのに、父がとんでもない死に方をしてバンドもなくなってしまい、いやな気持ちにさせてしまってごめんなさい。」

「そのことで、ちょっと。」

「なんですか？」

「すごく迷ったんですが、僕は人の顔を覚えるのが得意で、一度会った人のことはあまり間違えないんです。だからあなたのこともすぐ思い出したんですが。」

　新谷くんは言った。

「うらやましいです。あなたこそがお店をやるべきだわ。」

はじめ常連さんの似顔絵を描いて名前を暗記するのに苦労した私は言った。

「やってます。実は、あのライブハウスは僕の父親が始めたもので、今は僕が店長なんです。」

　彼は笑った。歯並びがちょっとがたついているのが、妙にかわいかった。

「まあ、存じ上げなくてごめんなさい、若いのにすごいですね。」

「単に身内が継いだだけですよ、街の魚屋さんみたいな感じ。」

　店内にある樽をテーブルにした小さなコーナーでコーヒーを飲みながらそんな話をしていたけれど、コーヒー豆を買ったり、テイクアウトの飲み物を買いに来たりで後から後から人がやってくるので、混み合ってきた。

ここでは落ち着かないから別のところで話そうということに自然となり、おじさんに挨拶をして、店を出た。

「どこへ行こうか。」

「コーヒーはもう飲んじゃったし、チャカティカでチャイを飲むのはどう？」

私は言った。なんでこの人はこんなに話しやすいんだろう、お父さんに似ているからなのか。しゃべりながらやたらに笑顔を見せないけれど、いつでも語尾をはっきりと言うところもお父さんを思い出させて、親しみやすかった。

「僕、そこ行ったことないです。行きたいな。」

彼は言った。

駅の向こうの踏切を越え、おせんべいやさんの脇を入って人をかきわけてまっすぐに進み、路地を入ったところにその小さい食堂はあった。エスニックな料理を店長の田中さんが家庭の味つけで出しているお店だった。いくら食べても胃にもたれないそこのお料理を、まだ重いものが食べられない時期のお母さんは好んでいた。私のお休みの日に外食しようというときは、よくてくてくと歩いてここまでやってきたものだ。

午後のお茶の時間には、ほんとうにおいしいチャイとバナナケーキがあった。

越してきたばかりの頃、お母さんは一度食べてあまりにおいしかったから、と田中さんに交渉してホールでバナナケーキを焼いてもらい、引っ越し祝いだと言いながら思う存分食べた。

ビールを飲みながら、ホイップクリームだけ泡立てて、ご飯代わりに。

田中さんはシャイな人で一見こわそうなのだが、その奥には熱い人情の世界が横たわっている。お母さんが越してきた経緯を説明したら、半分でいいと言ったのにケーキをホールでしかもプレゼントしてくれたのだ。

私はその頃まだどこか縮こまっていて、お母さんとふたりでおなかが痛くなるほどにホールのケーキを食べるなんて、そんな楽しい時間を過ごせる日が来るなんて思っていなかったので不思議だった。はしゃぎすぎているわけでもなく、沈んでいるのでもない、普通にそんなことを思いつき、いっしょに楽しむ、そういうことが目黒ではなんとなくはばかられたが、あの部屋ではなぜかできるのだった。

田中さんは留守だったので、バイトのお姉さんにお願いして外に近い喫煙席に座らせてもらった。そうだ、デートをしているんではなかった、と私はしょんぼりした。この休憩の数時間に、生前のお父さんの重い噂話を聞くことになるのだ。

「もし、いやな話だったら、ごめんね。」

新谷くんは言った。

「いいえ、いいえ。」

私は言った。

「なんでも知りたいの。お父さんのこと。」

「じゃあ、ずばりと言うね。雑誌に、お父さんといっしょに死んだ人の写真が出ていたでしょう？　うすぐらい、美人の。」

新谷くんは言った。

「うん、あんまりいやで、じっと見なかったから、かえってよく覚えています。」

私は言った。

「僕、あの人をうちのライブハウスで一度だけ見たことがあるんだ。」

新谷くんは言った。

「ええ？」

そういうことはなかったというふうに聞いていたので、驚いた。

「ものすごく影が薄くて、目立たなくて、気配がなくて、でも妙に印象に残る人だったんだ。

それで、耐えきれなくて、お父さんといっしょにバンドをやっていたドラムスの山崎さんに聞いてみたんだ。そうしたら、彼ももしかしたらその人を覚えているかもしれない、というんだ。あとの人にもさりげなく聞いてみたけれど、だれも覚えていなくて、結局僕らだけが、彼女を覚えていた。

なんでだか、見ているとぞっとする、そういう女性だった。そして、それからもスプラウトはうちでライブを毎月やっていたけれど、その女性が来ることはもうなかった、そう言い切れると思う。井本さんがそのとき彼女としゃべっていたのかどうかは、覚えていない。井本さんとあの人がいっしょに死ぬ、一年くらい前のことだったと思う。あの人が、ライブに来ていたことがあるのを、だれか他に知っていた？」

新谷くんは言った。

「ううん、お母さんも警察の人も知らないと思う。」

私は言った。

「もちろん彼女はお父さんとそのあとの期間のいつしかつきあいだしたことには変わりないし、ふたりとも死んでしまったから、刑事事件として裁かれることもないだろう。でも、それでもこれを知ってるのと知らないのでは、家族にとってものごとの印象が全然違うじゃないか。だから、言っておきたかったんだ。」

新谷くんは言った。

「まぜっかえすだけでよけいなお世話だっていうのは、わかってるんだけれど。」

「どうして、親しかった山崎さんにも、お父さんは相談したりとかその人を紹介したりしなかったのかな。」

私は言った。

「お父さんからなんらかの相談を受けていたことは、あったみたいだ。でも、その印象深い女の人と、心中の人は結びつかなかった、と言っていた。僕と話すまで、そのことは忘れていたし、初めて思い当たったって。井本さんが、つきあっている女の人のことは家族に言わないでくれって言っていた、それは確かなんだ。

だから自分の口からは遺族には言えない、でも機会があるとき気づいた君が言うのは、いいと思う、って山崎さんは言っていた。山崎さんは他のバンドでもドラムスをやっているので、よくうちに来るから、親しいんだ。山崎さんは、今から何を言ってもものごとが変わるわけではないから、言わなくてもいいんじゃないか、と言っていた。だからここでしゃべっているのは僕のエゴなんだ。」

新谷くんは言った。

その話のそこかしこに、お父さんの生活の懐かしく濃い気配がぎゅっとつまっていた。

私は、店のすぐ外に続く私道をぼんやり見ていた。遠くの道では若者たちがひっきりなしに行き交っている。商店街の飾りはまるでタイやネパールのお祭りのようで、色とりどりに風に揺れてにぎやかだった。

「もうお父さんはいないから、どうであろうといいんだけれど。」

　私は少し投げやりな気持ちで言った。

「でも、少しでも聞くことができてよかったと思う。新谷さん、ありがとう。」

「いや、だからどうということはないんだけれど。もしも自分だったら、知りたいと思ったんだ。」

　新谷くんは申し訳なさそうに言った。

「お父さんとその人は実は遠い親戚だったたって、警察から聞いたの。お父さんの妹が茨城に嫁いで、その、ご主人のめいだったかな？　その女性は。もちろん私たちはおばさんにたまに会うのが親戚づきあいの限度だし、おばさんさえその女性に会ったことがなかったんだって。

　死んだとき、お父さんは飲めないお酒をけっこう飲んでいたみたいだから、かなり緊張する話があったのかなあ。でも、なんのことかはわからない。お金のことかなあ。その女性は妊娠していなかったっていうことも、警察は教えてくれた。」

　チャイのカップを包み込む自分の手をじっと見ながら、私は言った。

「僕は、そのとき、もしもなにかできたらよかったと少し後悔してるんだ。ものすごく気になる女性だったんだ。その人は。なにがどうというのではなく、すごく気になって、印象に残る、なにかを人におよぼしてしまいそうな、そういう暗さのある人だった。」

　新谷くんは言った。

「もしかして、あの夜が、あの女がはじめてお父さんに声をかけた日かもしれない。僕がもっと早く君や山崎さんに相談していればよかった、そんなこと、きっとできなかっただろうとわかっていながらも、そういうふうに思ってたまらなくて、何回も君のお店に通っていたんだ。でもいつも言い出せなかったし、もう起こってしまった何を変えられるわけでもないから、よけいなお世話だとも思った。

　そして、ごはんがおいしいし、君は楽しそうに働いているし、もう言わなくていいんじゃないかと最近は思っていたんだ。だからさっきばったり会わなかったら、言わなかったかもしれないと思う。

　君はほんとうに楽しそうなんだよ、働いているとき。僕はいつもほれぼれしてしまう。あまりにも気持ちよく動いているので。人がしたがらないことから先にさっと動いてさ。うちで働いてほしいとさえ思ったよ。引き抜きに来たわけじゃないんだけど。」

　新谷くんは笑い、私は恥ずかしくて赤くなった。

見ていてくれたのか、と思った。でも「私もあなたの食べっぷりが好きです」とはとても言えなかった。

彼の話し方は、ひ弱そうな見た目とは違ってしっかりとした意志がある人だということを感じさせた。ただの若くてなにもかも順調でグルメなおぼっちゃまじゃないんだ、ということを知って、私はますます彼に好感を持った。

胸のどきどきが止まらないのと同時に、お母さんの前では気丈にふるまっていた自分の中の、もうひとりの子供みたいな自分が、混乱して悲しくて暴れだした。

ただもう一回お父さんに会ってなにがどうだったのか、それを話したいだけなのに、もうできないし、確かめることはできない。その悔しさや気持ち悪さがよみがえってきた。

思わぬタイミングで、私の涙がバナナケーキの上にぽたりと落ちた。私はあわてて袖で涙をぬぐった。

彼は私の手をぎゅっと握って、言った。

彼の心臓の音が、私の耳に聞こえてくるような感じがした。

「ほんとうにごめん、よけいなことばっかり言って。君が働いてる姿しか知らないから。だれかいっしょにいる人がいるのか、だれと住んでいるのか、なにも知らないから。気になってしかたなくて、だんだんなにをしたくて会いに来ているのかわからなくなってしまっているんだ。話しかけるきっかけに井本さんを使おうとしたのではないことだけ、わかってほしい。だんだんあのお店でごはんを食べて帰るのが楽しくなってきてしまい、本末転倒だと思うんだけれど、どんどん言えなくなってきたし、動機が不純な気がしてきた。」

いや、お母さんですよ、いっしょに住んでるのは、ととっさに思いながらも、私はなんで急にこんな展開になっているのか、さっぱりわからなかった。

「いいえ、大丈夫です。」

私は鼻声で言った。恥ずかしくて自分の足元と、そこに並ぶ彼の大きなスニーカーを見ているのが精一杯だった。とても顔を上げることはできなかった。

「なにもかも大丈夫です。それに、ほんとうに話してくれてよかったです。」

「よかった。」

そう言っている彼の顔が真っ赤だったので、私は彼をもっと知っていきたいと思った。今度、鼻水が出ていないときに、短い休憩時間ではないときに。

みちよさんにちょっとその話をしたら、にやにやしながらフレッシュなオレンジジュースを一杯作っておごってくれた。あの人がよっちゃんに気があるんじゃないかな、とは思っていたんだ、と言いながら。働き終えて家に帰ったら、まだお母さんは帰っていなかった。

寝転がって天井の木目を見ながら私は思った。

機会をみて、お母さんにはないしょで山崎さんと話してみよう、そう思った。忙しい、急に変化していろいろなことが忙しい、そう思った。

そして私はそのままうたた寝してしまった。

だれかが、自分を呼んでいる、そういう夢を見た。

夢の中で、私は前の家にいた。目黒のマンション、間接照明が廊下を照らしている。あれ？　私はひとりだったっけ？　ここに住んでいたっけ？　はっきりとそう思って、おかしいなと思った。お母さんをどこかに置いてきてしまったような、そんな感じが気持ちの奥のほうでしていた。

お父さん？

と声をかけながら、私は家中をさがしていた。お父さんはいなかった。それから、遺影もなかった。

しーんとした部屋の中に、私がたてる物音だけが響いていた。長い廊下に足音が響くみたいな感じでとても大きくはっきりと。

あれ？　確かお父さんをしのぶために、仏壇ではなくってここに飾っていたはずなのに、ない。この夢の中ではお父さんはまだ生きているのかな？　と夢の中なのに私はそう思っていた。ここで待っていたらお父さんは帰ってくるのだろうか。私は歩いてリビングに行った。お母さんがいつもきちんと片付けていたテーブルはキッチンのカウンターと段違いでくっついていて、そこにもいつもお花が飾ってあったけれど、夢の中ではなにもなかった。もうお母さんは完璧なまでにここにいないんだな、と私は思った。

テーブルの上には新聞が広げてあった。

そこには、記事があった。実際に見たときよりも、大きく。夢の中だから、そうなのだろう。全面広告くらいの大きさで、ばーんと載っていた。

お父さんとその女性の顔写真がそこには並んでいた。

いろいろなジャンルの音楽を取り入れて大人にも若者にも人気があった異色のロックバンド「スプラウト」でキーボードを弾いていた井本光治さんが女性と心中、これまでにどこでだれだれといっしょに演奏したことがある…そのような記事の上に、あの女性の顔が、大きく載っていた。目も鼻も口もなにもかも細くて小さい、線の細いその女性。軽くウェーブのかかった髪を横分けにしている、お母さんと全く似ていない、かげろうみたいな女の人。

その顔を見たとき、いい知れない恐怖が襲ってきた。この人は、きっと、他の男の人とも死のうとしたんだ、と思った。だってそういう目をしているし、そして、お父さんを殺してもうほんとうに満足したのだろうか、もっとよく調べなくちゃ、と思ってしまった。こわくて頭の中が混乱していた。暗いところから私を引きずりこもうとしているなにかの力が存在して、それが部屋の中に満ちてくるのを感じていた。

この人は私の信じているものをなにも持っていない、だから強いんだ、すぐにでも負けそうだ、そう思った。私が信じてるものの力なんて、こういうことの前ではちっぽけなものでしかない、だからお父さんも死んでしまったんだ。そういうものがこの世にはたくさんあるんだ。不気味に広大でなにからなにまでそろっているこの世界の中で、こんなに小さい私があぁだこうだ言ってもなんにもならない、たとえその全部に深いところではこのちっぽけな自分がどこかでつながっているとしても、頭で考えた範囲のことくらいじゃあ意味がない、そう思った。

電話、だれかに電話しなくちゃ、お母さんに言わなくちゃ、夢の中の私はあわててあせってもがくようにしていた。新聞をどけると、そこにはお父さんの携帯電話があった。お父さんがこれをさがしていた、そう思い出して、私はその電話を手に取ろうとしていた。

「こんなところでうたたねすると風邪引くわよ。」

お母さんが毛布をかけてくれて、目が覚めた。

私は混乱し、

「あれ？　ここは、どこ？　目黒じゃないの？」

と言った。

「電話は？　お父さんの電話は？　やっと見つけたんだけど、どこにいった？　頼まれてたの。お父さんに。」

「寝ぼけてるわね〜、もう一時よ。寝るならちゃんと寝なさい。」

お母さんは言った。少し飲んでいる様子で、ほっぺたがピンクだった。目の下のたるみが中年っぽくて愛おしい。抱きついて猫みたいにぺろぺろなめてあげたいような変に優しい気持ちになった。お母さん、こうやって歳を取っていくんだ。でももうお父さんはそれを見ることができないんだね。

「だれと飲んでたの？」

私は言った。

「ちづるさんのお店のカウンターで、ちづるさんとしみじみと飲んでいただけよ。あの、天井に大きなトカゲがはりついてる地下のかっこいいお店。ちづるさんっていくつになってもセクシーな声と落ち着いた感じで、面倒見がよくって、優しくて、ほんとうにうらやましいなあ。将来はああいう人になりたいわあ。」

お母さんは言った。

「もちろん浮いた話はないわよ。もう恋愛のやり方も忘れたよ。浮かれた気持ちになるたびに、罰せられるような気がする。節約して暮らしているけど、外で飲んでいると心細くなる、お金が底をつきゃしないかって。」

わかるよ、と私は言った。お母さんは「ね」と言って、流しに顔を洗いにいった。

私は新谷くんのことを言わなかった。

お母さんは意外に鈍くて、私は学生時代に一度だけ彼氏が長くいた時期があったけれど、自由が丘でデート中にばったりと出会うまでは、全く悟られなかった。そして会ってもそれをお父さんに報告するでも私を問いつめるでもなく、ただにやにやしているだけだった。

あの女性のことを言うべきかどうか、私は迷った。

私の中のもうひとりの私は、お母さんどうしよう、と泣きついて全部しゃべって大騒ぎしてぶちまけて逃避して寝てしまいたかった。

しかし今の私、変な夢を続けてみてしまう私、いちおう大人として働いている私…の中にあるきらめきのようなものが「まだ言うな、そして言わないことは裏切りではない」と告げていた。もう少しして、いろいろなことがわかってからのほうがいい、今は一秒でも長く、お母さんをそっとしておきなさい、と。

翌朝、目覚めたら小さな台所でお母さんが珍しくオムレツを作っていた。

朝の光がたたみを照らして、それとバターの香りがからまって、さびれたような落ち着くような匂いがしていた。

幼い頃を思い出した。まだ自分の部屋がなかった頃。お父さんは夜遅いからと別の部屋で寝ていて、私はお母さんと寝ていたっけ。あの頃の両親はセックスレスだったのかなあ、と私は考えた。あの頃どころか、もしかしたら、私が一人部屋を持つようになっても、そうだったのかなあ。お母さんには彼氏がいた時期があるのかしら。今はまだこわくて聞けないけれど、いつか聞いてみたい。

昔の私の部屋はキッチンの脇にあり、目を覚ました私が淋しくないようにと、薄くドアを開けたままで朝ご飯を作るお母さんの後ろ姿をすぐに見つけることができた。

特に優しい気持ちでもなく、あたたかいものでもない。ただ毎日のことを、お母さんはしているだけなのに、どうしてあんなに安心できたのだろう。どうしてこの世には戦争も殺人も詐欺も強盗もレイプもないかのように思えたのだろう。いい人しかいないような気持ちでいられたのだろう。今だって私は、悪人に直接接したことがあるわけではない。でもこの世には信じられないくらいひどいことがあるのを生々しく知っている。

それから、実の父親が知らない女性と心中するということだって、かなりひどいことかもしれないけれど、それに慣れていつしか受けいれてしまっている自分を切なく感じる。あの頃の私には、そんな考えのひとかけらもなかったというのに。お父さんもお母さんも自分のために永遠に生きて保護してくれると思っていた。

「お母さん、おはよう。」

私は言った。

「起きたの?」

お母さんは振り向いた。

「なんかむしょうにおなか減ってしまって。あんたの分も焼くね。」

「ありがと、すぐ起きる。」

私は言って、ふとんからよいしょと起き上がった。

なんでだろう、それでも、この部屋は小さいせいか、実家にいてベッドから起き上がるときよりも気楽なのだ。窓の外にはもうすぐ車の音、カーテンの隙間からどんどん明るくなってきて、前の家の遮光カーテンに守られていたときみたいに、長く寝てはいられないというのに。SECOMもないしオートロックもないし、お父さんがいないから女ふたりで暮らしているのに。

これはこれで、キャンプのような、テントに寝ているようなあけっぴろげな幸せだ。

お母さんが言った。

「ねえ、狭いのにますます狭くなるから悪いけど、窓際にプランターを置いてもいい？」

「いいよ、なんで？」

私は言った。

「バジルとか、香菜《シャンツァイ》とか、ローズマリーとか、オムレツやお料理に入れるものを育てようかと思って。」

お母さんは言った。

「うわあ、それ、うまくいったら、店に持っていけるね。」

私は言った。

「うまく育ったらね。でもいいって言うなら、さっそく今日買ってこよう、苗とか。」

お母さんはやる気に燃えていた。

「もしかして、春にならないと苗って売ってないんじゃない？」

私は言った。

「それもそうか。でもいくつかはあるかも。種とか、ミントとか。この陽当たりならなんとかなるかも。」

お母さんのやる気は季節がはずれているくらいではそがれなかった。

「そうだね。」

私は言った。なんでもいい、やる気のあるお母さんが嬉しかった。

「じゃあ春まではここに住まなくちゃ。どうして前の家のほうがお料理いっぱいしたのに、こういうことを思いつかなかったんだろうね。」

お母さんは、つぶやくようにそう言った。

「今、楽しいからじゃない？」

私は答えた。

「お父さんがいないのに？」

お母さんは言った。

「いないから、やけくそなんじゃない？」

私は笑った。

「そうね。でも、あの頃の私は、半分死んでいたのかも。ある意味ではお父さんもね。別に場所が悪かったわけではないのよ。だってあのあたりですごく楽しんで生きてる人いっぱいいるもの。自由が丘の女神まつりのときのマリクレール通りを見てご覧なさい、もう、どうにかなっちゃってるんじゃないかというくらいに楽しそうな人がいっぱい。ワイン片手に、屋台をめぐって、家族で席とりして。」

お母さんは言った。

「そうだね。ここだから特別いいってことはないかも。」

私は言った。確かに、あの街にはあの街の、独特な楽しさがあった。

大人になって余裕ができてからやっと人生の楽しみ方を勉強している人たちが集っていっしょに考えているような、そんな知的な雰囲気が。そして裏通りには昔ながらの中華料理屋や居酒屋があり、いろいろな層の人がいろいろなものを求めて歩いていた。ここみたいに若者が多いわけでもなく、観光客もここに比べたら少ない。マダムと赤ん坊がたくさんいた気がする。

「でもね、私、おかしいね。あの頃は、マリクレール通りのベンチに座って、ゆっくりと人の流れを見ながらワインを一杯、なんてことを思いつきもしなかったな。いつもなにかをしなくちゃと急いでいたし、気持ちに余裕がなかった。

　このへんって新婚時代、あなたが赤ちゃんだったときに仮住まいとして住んでいた、谷中のへんに雰囲気が似てるんだ。台東区って、新婚さんには助成金みたいなのが出るんだよね。貯金しようと思って小さい部屋を借りて住んでたんだ。だから、懐かしいのね。あの頃は私もお父さんも、若さなのか時代のせいか、意味もなく楽しかったもの。毎日谷中銀座に買い物に行って。おそうざいを買って、佃煮を買って、おせんべいを買って、コーヒーを飲んで。

時間のあるときは、甘味屋に寄って、ビールを飲んだり、いそべ巻きを食べたり。」

お母さんは言った。

「なのに、なんでいつのまにか、半分死んだようになったり、死んじゃったりしたんだろう？」

私はたずねた。

結婚したり子供ができたり、体力が衰えたり、仕事が忙しくなると自分もいつのまにかそうなるのかと思うと、少しこわかった。そういうことは、いつのまにかたまってきて、気づいたら身動きとれなくなっているに違いなかった。

「だんだん、だんだんだん世間の垢みたいなもやみたいなものが、重くなってきたからかなあ。それだけではないとわかっているけれど。どんどん自分らしくなくなってきて、なにがしたいかわからなくなっていったのかなあ。」

遠い目をしながら、お母さんはオムレツを皿に移した。そしてきっぱりと言った。

「でも、そんなの言い訳だってわかってる。私はやり直してる。それだけが復讐であり、供養だから。」

それを聞いて急に、お母さん！　と私は叫びだしたくなった。でもその代わりに顔を覆って泣きだしてしまった。

「泣くなんてばかねえ、ほら、オムレツできたよ。」

子供の頃と同じそっけなさで、お母さんは私を見ないで言った。お母さんには、感動的な場面になると照れを通りこして冷たくなるという変なくせがあるのだった。そのわかりにくさについて、よくお父さんと話したものだった。

私は涙をふいてオムレツを食べた。熱くてチーズの味がして、パセリがいっぱい入っていた。子供のときから食べ続けている、懐かしい味だった。目がはれていたって接客しなくちゃいけない、お客さんにわかるくらい腫れていてはいけない、しっかりしっかり、と自分に言い聞かせて涙を止めた。


新谷くんはしばらくたったある夜、少し恥ずかしそうにお店に現れた。

私たちは携帯の番号さえ交換していなかった。

その日忙しくて汗だくで働いていた私は、彼の姿を見たら自分がよれよれなのが一瞬恥ずかしくなったけれど、なによりもその気持ちが懐かしかった。

誰かがこうしてやってくる感じ、恋をしているときだけにしか思い出せない、悪いことが起こるなんて思えない、平和としか言いようのない感覚が。

新谷くんはいつものようにカウンターに座り、ｉＰｏｄのイヤフォンを耳からはずし、鴨のコンフィとグラスワインの白を頼んで、座っていた。

よく知らない人だと改めて思った。これまでなにをしてきたのかも、これからなにをしたいのかも、なにも。急激に気持ちは冷め、仕事場にいるという気持ちが戻ってきた。そうだ、常連さんだけがカウンターでお店の人と話し込んでいるお店が私は苦手なのだ、常連さんはいても、他の人も居心地がいいお店にしたい、新谷くんと馴れ合ってはいけない、と思い、努めて普通にふるまった。いろいろ感づいているみちよさんだけが、新しいお皿ができて私が厨房に行くたびににやにやとしていた。

「よかったらいっしょに帰らない？　送っていくけど。」

新谷くんは最後にコーヒーを出したときにさらっと言った。

「いいけど…知らないよね？　うちはここから一分なの。私、駅にさえ行かないの。」

私は、窓の外を指差した。そこには、お母さんがもう帰っているらしくばっちりと電気のついた私の部屋が見えた。ムードがないったらありゃしなかった。

「じゃあ、一杯飲んで帰らない？」

新谷くんは言った。

「三十分だけ、待ってくれる？　お片づけがあるから。」

私は言った。

「いいよ、じゃああずま通りの、立ち飲みのエノテカみたいなとこで待ってる。」

「オッケー。」

昔からつきあっていたかのようななじみかた、でもそうではない。私は、新谷くんとどうなっていくとしても、お父さんのことをネタにしてもっといっしょに行動しようとするのだけはやめよう、と心に誓った。

お父さんが持ってきてくれた恋だけれど、以後、お父さんのことは自分で片をつけよう。にやにやしながら、みちよさんが送り出してくれたのは、結局片づけに手間取ってしまい四十五分後だった。デートらしきものがあるからといって、片づけや下ごしらえをてきとうにするような私ではないのだ。新谷くんは、チーズを食べ、赤ワインを飲みながら高いすに軽く座って本を読んでいた。

「お待たせしました。遅れてごめんね。」

私は言った。

「お店だから、当然だよ、急に誘ったんだし。」

新谷くんは言った。

お父さんのこと以外に、特に話すことがなかったので、音楽の話をした。しかし、新谷くんの好きな日本のインディーズのバンド、しかもロック系というよりもむしろクラブ系に寄っているバンドたちのことが私には全くちんぷんかんぷんだった。ジャズの表面とイギリスとアメリカの古典ロックをかすっているくらいが、私の音楽歴だった。だいたい、あまりにもいつでも音楽がかかっている家にいたから、音楽のタイトルを考えて聴いたことがないのだ。

「よしえちゃんの心のアイドルはだれなの？」

と聞かれて、

「強いて言えば、パディ・マクアルーンかな〜。」

と答えたら、全く通じずに場が静かになったのを感じた。

しかし、ここでこのあときちんと説明する性格を私は持っていなかった。そこが男の人に誤解されて喜ばれるところでもあると気づいてはいたのだが、今さらもう直せない。仕事の後だし、急に誘われたのだし、あまり気をつかいたくなかった。ただでさえものすごく気をつかう仕事なのだから。とにかく楽しくお酒でも飲もう！　と思い、新谷くんに提案をして、おいしい白ワインをカラフェで注文した。

「下北で飲むお酒はおいしいんだ。」

私は言った。

「こうやって、外を歩いていく人たちが、ここに住んでいるわけでもないのに、とってもくつろいでいい顔をしているでしょ。東京に、こういう街は実はあまりないのよ。」

「ああ、そうだね、ほんとうにそう思う。みんないつまでだって若いっていう顔しているしね。新宿だともう少しくたびれた人が多いから。それはそれでいいものだけど。」

新谷くんはにっこりと笑って言った。急に笑顔になったのを見て、まるで猫がのびをしているのを見ているときのような気持ちに私はなった。

その言い方は、私の心をまた少し動かした。

私は、新谷くんの食べっぷり以外に好きになれるところをまたひとつ見つけた、こんなふうに、時間をかけてみようと思った。

私が思い切って山崎さんを呼び出したのは、新谷くんと数回会った後のことだった。

きっかけがなかなかつかめないし、時間もなくてどんどん先送りになってしまっていたのだが、あるお休みの日に思い切って電話をかけてみたのだった。

いちばんの理由は新谷くんから久しぶりにその名前を聞いて、そうだ、お父さんの密葬以来会っていない山崎さんに会いたい、と思ったことだった。お父さんがバンマスだったバンドも解散してしまい、ライブももうない。だから、いつもなんとなく近くにいたのにいつのまにか会わなくなった山崎さんが懐かしかった。

山崎さんは、お父さんがいちばん親しくしていた人だと思う。お父さんは音楽的な活動範囲と同じくらいに顔が広かったが、ほんとうに気を許していたのは彼だけだったのではないだろうか。

山崎さんはお父さんよりはずっと若いはずなのだが、ものすごく老けて見えた。そして一言でいうなら、刑事コロンボみたいな外見だった。私とお母さんは小さい頃から彼を「刑事コロンボ」と呼んでいたものだった。彼は時々ほんとうに刑事コロンボみたいなトレンチコートを着ていて、そんなときはお母さんと目を見合わせてにやりと微笑みあったものだ。

体つきはがっちりしていて背も高く、子犬みたいな透明なくりんとした目は薄茶色で、髪の毛もうす茶色いくせっ毛でふわりとうずたかく丸まっており、いつでも普段の服装のままでステージに出てしまうのであった。お父さんの言うには、彼には彼なりのこだわりがあり、色や形の気に入った服しか着ないのだそうだった。だからいつも同じ服を着ているような印象があるのだろう。

そして彼には信じられないくらいきれいな奥さんがいた。たまに彼女がライブハウスに来ると、バンドの人たちも客も色めきたってしまうような女性だった。

「あの前にはお母さんの魅力もかすむ」とよくお母さんは言っていたものだ。私は内心「ムリムリ、比べるのはムリ」と思っていた。いしだあゆみか浅丘ルリ子かというくらいとにかく細くて立ち居振る舞いの全てが大人っぽい美人だった。昔はモデルをやっていたという話を聞いたことがある。山崎さんが一目惚れをして長い時間かけて口説いて結婚したというのも。

渋谷のハンズの裏にある3・4という古くさくてすてきな喫茶店に彼がやってくるのを見たとき、私はお父さんと高校生のときなどにここでよく待ち合わせていたときのことを思い出し、胸がぐっとつまった。

年齢差がありすぎて特に話題もないのにわざわざ会うからちょっと面倒くさいんだけれど、顔を見ると嬉しくて、やっぱりよかったと思う感じだ。

だめだ、私は今、だれとなにをしたってだめなんだ、まるで失恋直後の人みたいに、結局お父さんの影の中にいる。お父さんをさがしているし、お父さんだけと過ごしているんだ、そう思った。下手するとうっすらとであっても一生それが続くのかもしれない、冗談じゃない。なんてことになってしまったんだろう。これが治るかどうかだれにもわからないじゃないか。

でもそんなことに気づいている場合じゃない、呼び出したからには、私は緊張しながらもとにかく質問をしなくてはいけなかった。

「よっちゃん、どうした。なにを相談したいの？」

山崎さんは言った。いきなり注文したいちばん濃いコーヒーをぐいっと飲みながら。

私は生のおろししょうががいっぱいついている濃いジンジャーティーを飲んでいた。お店の中は、古くてよく磨きこまれたいすやテーブルの立派な木と、乾いたほこりと古本の匂いがした。金魚は丸い水槽の中でゆらゆらと泳いでいた。お父さんや山崎さんの世代の「喫茶店」だった。カフェではない。そういうところが私には子供の頃を思い出させて懐かしく居心地がよかった。

「あの、お父さんと心中した女の人についてです。もし知っていることがあったら、教えてください。」

私は言った。

「言わないで、というのが父の山崎さんに対する遺言だというのは、知っているんです。だから、できる限りでいいので、教えてください。」

よく見ると、ジャケットにしわが寄っていることや、首のうしろのあたりが少したるんでいることも、中年の男の人に久しぶりに会った私には懐かしかった。その感じを胸いっぱいに吸い込みたかった。

私が小さい頃はふたりともひまだったのだろう、お父さんはよく家で山崎さんとごはんを食べていた。美しく無口な奥さんもいっしょに来て、大人たちは小さな宴会をしていた。その楽しそうな音を聞きながら寝るのは、一人っ子の私にとってとても幸せなことだった。そういう全てが切なく鮮やかに思い出された。

「困ったな。」

山崎さんは言った。

「確かに、イモからは、家族に心配かけたくないから、なにも言わないでくれって言われてるんだよ。」

「心配ならもうこの上ないくらいにしましたよ、それにもうなにもかも終わったことなんです。」

私は言った。

「だったら、もうこのままにしたらいいんじゃないか？　だってもういろいろ毎日のことが動いちゃってるでしょう。それぞれの胸の中に、イモを落ち着かせていく時期なんじゃないだろうか。」

山崎さんはそうつぶやいた。

その、これまでに見たことのない表情で、私は悟った。

この人だって、長年いちばん楽しい気持ちでやってきたバンドと友達を失ったんだということに。

「動いてしまっているから、取り残されちゃったんだと思います。」

私は言った。

「今、お母さんがうちに転がり込んできていて、もうあの目黒の家にはだれもいないんです。それで、私がなにかをちゃんとしなくちゃいけないと思うと、なんとなくあせってしまうんです。お母さんがあせらないのが、またなんとなく不安で。でも、なにか考えようとすると、なにも知らないことに気づくから、堂々巡りになってしまって。なんとなく山崎さんに会いたくなったんですね。」

「お母さんとよっちゃんでは根本的に立場が違うからなあ。思うことも全然違うだろうなあ。それってかえって淋しいことだろうな。」

山崎さんは言った。さすが刑事コロンボだ、と私は思った。

「お母さんが家を出て、よっちゃんのところにいるというのは、人づてに聞いたよ。でも、今はなにも言わずお母さんを泊めてあげるのが、親孝行じゃないのかな。」

「そうですよね、でもなんだかまだできることがあるみたいな、変な気持ちがずっと残っているんです。」

私は言った。

私はくいさがった。山崎さんはしばらくほんとうに静かに考えて、

「実は、それもなんかわかるんだよな〜。もしよっちゃんの年齢そして立場だったら、自分でもそう言うだろうな、と思う。だって、なにもなかったように暮らしていけたら、それはおかしいよ。だからもし僕がよっちゃんだったら、同じように思うと思うんだ。なにかしたい、なにかしなくちゃって。でも、パパが帰ってくるわけじゃないからなあ。そういう気ちを持ったまま、じっと今にも腐りそうな荒れた気持ちで、生きてくしかないんじゃないかなあ。僕だってまだ『あれ？　今月のライブのリハはまだだっけ？　イモに電話しなくちゃ』と思いながら目が覚めて、朝、ベッドの中でさめざめと泣くことがあるもの。」

と言った。丸いきらきらした目が、私をしっかり見据えていた。イモというのは山崎さんがお父さんを呼ぶときの呼び方で、それを聞くたびにお父さんがすぐそばにいるようで、胸がしめつけられて苦しくなった。

「山崎さんの言うこと、わかると思います。」

私は言った。

「そうしようとがんばって、疲れちゃってるだけかも。」

うなずいたあと、山崎さんは言った。

「あの人は、君のパパの、ええと、妹のだんなが若いときに作った子供とかっていうことになっていたんだろう？」

「ううん、私は、おじさんのめいごさんだって聞いていました。」

「でも、とにかくどれも違うんだ。実は、君のパパの妹が、うんと若いときに作って手放した子供だっていうんだよ。でも、君のおばあちゃんは、里子に出したことを、妹には言っていないんだね。死んだと言ったのか、なんとかするから赤ちゃんを貸しなさいと言ったのか、詳しくは知らないけど。だから君のおばさんは、その人の存在を知らないんだ。あるいは知ってるけれど忘れたり知らないことにしているのか、そこはわからない。」

「ええ？」

なんていうことだ、それではその人は私にとっても思っていたよりずっと近い親戚ではないか。

「里子に出されて、あまりよい環境ではなかったので早くにそこを家出してしまい、そのあともあまりよい人生を送ってこなかったらしいよ。」

「お父さん、心配しちゃったのかな。でもそれって、近親すぎるんじゃないでしょうか？つまり姪でしょう？」

「それももちろん問題だっただろう。でも、はじめはそういうことがわからないままにつきあってしまったんじゃないかなあ、と思う。深みにはまってから、知ったんじゃないだろうか。」

山崎さんは言った。

「いやあ、あの女は気味悪い女だったよ、正直言って。新谷くんから聞いてるかもしれないけれど、僕は一回だけ、その人を見たことがあるんだ。ぞっとするような雰囲気の女で、ライブの間中、いつも気になっていた。新谷くんと僕だけが、彼女をほんとの幽霊じゃないかと思ってぞっとしたのを覚えていたんだ。

終わってからは打ち上げにも参加せずにすぐに姿を消してそれっきりだから、僕はあの女がその女だっていうことに思い至らなくて、新谷くんに言われるまで全然わかってなかった。

それとは別に、君のパパがトラブルに巻き込まれているということはなんとなくわかっていたし、少しだけだけれど、相談にも乗っていた。つきあっている女性がいるが、遊びではすまされないし、お金も貸しているし、面倒なこともいくつかあるって。でも、大丈夫だと思うし、家族から離れる気はないって、はっきりと言っていた。嘘じゃないよ。」

その言葉を聞いたとき、安堵と後悔がいっぺんに襲ってきて、私はくらくらっとした。まるで死んだ人から愛の告白をされたような、行き場のなさがただまた増した。

「パパは、うっかり引きずり込まれちゃったんじゃないだろうか。あいつには、どこか、そういうものを断れないところがあったような気がする。君のお母さんや君がどんなに明るく温かくても、すんなりとけこめないような、そういうものが。でもばかだよね、自分がそういうのを脱したくて家庭を作ったくせに、投げ出しちゃうなんて。うちは子供がいないからほんとうにはわからないけど、よっちゃんみたいな子がいたら、先を見たいから生きていたいと思ったと思うんだ。」

山崎さんは言った。大きな手のきれいに切りそろえられた爪をじっと見ながら。

「そう思っていたと信じたいです。」

私は言った。

「それはね、絶対、信じていいと思うよ。」

山崎さんは即座に言った。

「君のことを奴がどんなふうに大切そうに言っていたか、僕はよく知ってる。僕にはもったいない娘だっていつでも言ってた。パパは、そういう意味では、どこにでもいる平凡な父親だった。酒や女に溺れて心中してもいいなんて思うようなタイプでは決してなかった。ほんとうにそういう人は、周りにわりとたくさんいるから、区別ははっきりとつくんだ。でもそういう奴にかぎって、実際には死んだりしなくって、まじめなイモみたいな奴が死んじゃうんだよね。」

それは私にとってとても大事なひとことだった。他のだれでもない、お父さんの友達が言ったのだ。

「でも、なんか危ういものに近づいていっちゃったんだろうな。ずるずるって。大丈夫だと思い込んでしまったんだろうなあ。なんていうか、一度しか見たことがないけれど、人の考えのピントを狂わせる女性だったなあ。いくら見ようとしてもはっきり見えないような。彼女も死んでしまったから、刑に問われることはなかったけれど、もしもあの人が生き残っていたら、懲役何年かにはなったと思うし、おれも喜んでそのときのことを証言したと思う。でもそれでも、そんなことをしたって、彼が帰ってくるわけではないから。ほんとう、なんていうことをしてくれたんだろうと思うよ。」

山崎さんは言った。

「あのね、露骨な言い方でごめん、いっしょにバンドをやってステージに立つっていうことは、何回もセックスするのと、ほんとうに同じことなんだ。

目に見えない、聞こえない体の言葉みたいなものを共有するんだ、何回も何回も。だから、僕は、今、恋人を寝取られて連れていかれたようなくやしい感じがしているんだよ、ずっと。なんで僕にもっと真剣に相談してくれなかったかなあって。ほんとうにまずくなったらイモは他のだれでもない、僕に相談するだろうと、だから今はまだ大丈夫なんだろうとたかをくくっていた自分をどれだけ責めたかしれないよ。」

山崎さんの目のはしに、涙がきらっと光っていた。

お父さんとセックスって…なんてすごい言い方なんだ、とは思ったが、不思議といやな気持ちはしなかった。

私も、なんとなくそれに似た感じを持っていたのだ。三人で肉体をくっつけあい、同じ場所で暮らしていた体の記憶…ぶつからないようにすれ違う時の息づかい、カップを渡すときに触れる手の感触、つるしてある服のにおい、玄関を出るときふと踏んでしまって感じる靴の革の感触、近くにある気配、それが家族だ。そういうものを決して心地悪くなく共有していたのに、どうしてお父さんはそれを振り切ってしまったんだろう、そう思ったのだった。

私は、この話をするときは、だれと話すときも意識してとてもとても軽い調子で話していた。友達や、事件を知って連絡してくる人たちや、近所の人たちと。

もちろん山崎さんにもそうしていた。明るすぎず、暗すぎず、冷静に話そうとしていた。そうしないと自分も死にたいくらいに落ち込んでしまうからだ。私の奥底に渦巻くどろどろは、もうどうしようもないくらいに溶岩みたいに煮え立つときがあり、実際に熱くなっておなかが苦しくなり、なにかがこみあげてきて息苦しくなる。そういうときはもうなにもすてきなことや新しいことは考えられない。それをそのまま他人にぶつけても（お母さんとはよくぶつけあうけれど）しかたないから、いつでも少し自分を浮かせるように、目をそらせるようにして、全体を軽くして言い表している。

しかし山崎さんの存在そして異様な話しやすさ、それからお父さんを、そしてその不在を共有してきた人としてなんとなく立場が似ている感じは、私が意識的に隠して新しい生活をしてごまかしているものをまたもふいにどば〜っと噴き出させてしまった。

私は、その場でテーブルをばんとたたいて、おいおい泣き出した。

泣いても泣いても減ることのない涙をまたしぼりだしたのだ。

山崎さんは、私の肩を抱かなかったし、頭をなでなでしてくれることもなかった。ただ、そばにいようとしてくれた。そばにいようとしてくれているその感触が伝わってきた。

ばかみたい、お父さんの影があるいろんな男性の前で、泣いている。まるで売春だ、そう思った。お父さんを追い求めていろんな男と寝ているのとまるで変わりない。でもそんな理屈を超えて、私は泣いた。ものすごく腫れた目、鼻水まみれの顔をあげると、そこには普通に山崎さんが、優しい顔の目のはしに涙をにじませて待っていた。

そして彼は私の手の甲をそのきれいな手でぽんぽんと叩いて、

「あいつはほんとうにいいやつだったよ、いなくなってしまって、お互いさびしいね。」

と言い、私はただうなずいた。

みじめだ、そう思った。少しも立ち直れず、ずるずると生きている。夜は明けないし、後悔は取り戻せず、言いたかった言葉は言えない。もう二年ちかくたっているのに、一歩も進んでいない、もしかして一生進まないのかもしれない。

それでも私は明日の朝になれば、パンをこね、お湯をわかし、サラダの野菜をちぎり、掃除をしているだろう。体が自動的に動いてくれるし、いらっしゃいませと笑顔になるだろう。それだけができることなのだ。

お母さんが積極的になにもしないでいるのと同じように、私はそうするしかない。それぞれの戦いを生きていくしかなかった。だって死んでしまうわけにはいかないのだし、生きるしかないのであれば、意地を見せるしかない。明日店に行けば、私はあの空間にじんわりとなぐさめられる。もう飽き飽きしてもおかしくないし、実際疲れているときは閉塞感を感じるのに、あの店の小さいけれど完璧な厨房が、みちよさんのきりっとした立ち姿が、その両手から魔法のように作られる料理を見ることが、それを人に運んで笑顔を見ることが、毎日一滴くらいずつでも私の中に力としてたまっていく。人を殺すのも人だが、人を救うのも人の力だ、そう思う。

「あの人は、他の男とも心中未遂をしていたらしいね。ほんとうになんであいつがあんな女に関わってしまったのか、わからないけれど、たまたま全部がタイミング悪く運んでしまったんじゃないかと思う。」

山崎さんは言った。

「やっぱり、お父さんだけじゃなかったんですか？」

私は言った。夢で見たとおりだった。

「僕は、イモからそう聞いたよ。あの女は前に、だれかと心中しようとして失敗して、その後は入退院を繰り返しているとか、そういう感じの話。やばいから、やめておきなよ、って言ったんだけれど…。大丈夫だよ、俺は心中なんかしないから、ってパパは言ってたよ。放っておけなかったんじゃないかな。」

山崎さんは言った。

「お父さんが、そんなにうかつで頭が悪いとは思わなかった。」

私は言った。潔癖な気持ちで。

その潔癖な気持ちを見抜いて、山崎さんは言った。言葉がひらめくそのようすときたら、ほんとうに刑事コロンボみたいだった。

「いや、男女のことは、頭じゃないから。」

私はどきっとして、涙でいっぱいの目のままで、山崎さんを見た。

「そうなんだろうと思ってるけれど、私にはまだわからないんです。」

私は言った。

「僕もほんとうにはわかってないよ。きっと。でもそうなんだ。理屈じゃないんだ。」

山崎さんは言った。

「金もそうとうあげていただろうし。あの女の人には、ずいぶん借金があったんじゃないの？　それに、あいつは借金するくらいなら死ぬというやつだからなあ。」

私はそれを聞いてものすごく納得し、そんなことで、と哀しくなった。

死んだときお父さんの口座にはほとんどお金がなくなっていて、いつか自分のスタジオを作りたいからと言ってためていた定期もいつのまにか解約されていた。

お父さんのバカ、私たちがいるのに…何回も思ったその言葉をまた頭の中で繰り返した。光だけじゃだめなの？　日常の温かさだけじゃ生きていけないの？　うらぶれて暗くて汚い泥みたいなものの魅力は、自分の心がその色に染まっていたら、命をかけるほどすごいの？

「イモはほんとうによっちゃんのことを思っていたよ、それだけは忘れないで。僕が言うようなことではないけれど。」

別れ際に山崎さんはそう言った。

「いいことばっかりじゃないけどさ、そうそうひどいことばっかりでもないんだよ。」

それを聞いたとき、お父さんが、返事をしそうなくらい近くにいる気がした。お父さんが山崎さんの口を借りて言っているような気がした。

「そうですよね、私がなんでも理屈で片づけようとしてるのは、わかってます。」

私は言った。

「お父さん、私のこと大好きだったたって知ってます。」

「そうだよ…僕の田舎のおふくろなんて九十近いけど、毎年、春になるとふきを煮たり山椒を煮たりするよ。そして、毎年その慣れた味を口にするたびに、ああ、もしかしてこれが最後の春の佃煮かもしれない、とお互いにちらっと思うんだ。でもそれは理屈でしょ。ふきや山椒がどっと取れたら、とにかくしんどくてもひたすら煮るのがその日のおふくろだし、後先なんて考えてないし、今うまく煮えたら来年のことなんてどうでもいいって思うのが普段の良さだし、僕だっていちいち切なくならずにおふくろの佃煮はうまいなあ、最高だよ、今年も食べることができてよかった、ごはんがすすむよ、ってもうまるっきり投げ出しちゃって、そういうことの幸せをよっちゃんももっとどん欲に味わっていいんじゃないかなあ。そりゃあ、イモはひどいことになったし、惜しむのは健全だけど、おふくろさんとの時間まで、こわくなっちゃって、かたく考えてないかい？」

山崎さんは言った。

私はふうっとその言葉の幸せの中に溶けていきそうになった。

いちばん欲しかった言葉が体も心もゆるめていった。

お母さんには、山崎さんに会ったとは言えなかった。話の内容もとても言えなかった。ほんとうは言ってしまおうかと少し思っていたのだけれど、その夜、ヴィレッジヴァンガードからマンガを買って帰ってきて（お母さんが大好きな萩尾望都さんの『マージナル』というマンガの文庫だった）、クッションをしいてごろ寝しながら鼻歌を歌って読んでいるお母さんを見ていたら、勢いがそがれて言えなくなってしまった。

腹を出してマンガを読みながら、

「う〜ん、やっぱり岩屋で暮らしたいよね。」

とつぶやいて涙をこぼしているお母さんを見たら、この人はなにも悪いことをしていないのにな、とただ胸がいっぱいになってしまったのだ。

そう、ここは辺境の岩屋みたいなところ、あまり世の中のはやりについていけない人たちでも、自分なりにひっそりとこうして暮らすことができる。お父さんに置いていかれてしまったこんなふたりでも。

いくらお母さんと私が図太くて噂を気にしないタイプだったとはいえ、しばらくは自由が丘を歩いているだけで、指差されているような気持ちになったものだった。あの心中の人の、残された家族。そう呼ばれている気がした。

だから、お母さんにはなにも言わなかった。

でも、さすが母親で、お母さんから私に質問してきた。

「よっちゃん、なにかあったの？　元気ないけど。今日お休みだったでしょ？　なにしてた？　ねえ、今度のお休みは久しぶりにいっしょに伊勢丹行って、買い物してごはんでも食べない？　冬の服、買ってあげるよ。」

「うん、行こう。ねえ、でも、こんな暮らし、ずっとは続けられないよね？」

私は言った。

「なんで？」

お母さんはきょとんとして言った。

「だって、仮ずまいっぽいし。」

私は言った。

「まあ、そりゃあそうだけど。あんた、あたしのお母さん？　なんでそんなまともなの。」

お母さんは笑った。

「まあ、あなたが別のお店に修業に出るとか、海外に行くとかなると、いろいろ変えることはあるでしょうね。でもそのときはそのとき。今日でもないし、明日のことでもない、先の話。あと、あなたが嫁に行くとかね。でも、そうなっても別にいいもん。お母さんにはもうよっちゃんしかいないから、近くに住んで孫の世話とか手伝うから。案外楽しいかも。」

「だれが近くに住んでいいって言ったよ。」

　私は言った。

「きっと手助けがほしくなるって。女がずっと仕事していくのって大変なのよ。私のまわりのそういう人たちは、みんな一度は倒れたもの。支援が必要だと思うよ〜、あなたの根性だと、結婚しても子供が生まれても絶対仕事辞めなさそうだしね。」

　お母さんは言った。

「そうかもね。私、みちよさんの手伝いをずっとしたいし、後を継ぎたいくらい、尊敬してるの。」

　私は言った。

「まあ、歳がそれほど離れていないから、後は継がなくていいと思うんだけれど、なにがあってもいっしょにあのお店をやる手伝いをしていきたいと思う。そのくらい惚れ込んでるの。彼女の味にも彼女にも。」

「そういう人が仕事先で見つかったなら、なかなかないことだから、なにがなんでもついていくべきよ。」

　お母さんは言った。

「そのことを手伝うために、たとえば数年修業に出なくてはならないとしたら、きっと出ると思う。私は、あのお店に関わっていられるなら、サービスだけでも、お掃除でも、事務でもなんでもいいっていうくらい。自分のお料理を出したいという気持ちよりも、大きいんだ。」

私は言った。

「あんたが口に出してそう言うってことは、本気だっていうことよね。たしかに、あのサラダは命のサラダだったな。死んでしまいたいくらいみじめで行き場がなくて胸がどろどろもやもやしていた私だったけど、あのサラダは私を否定しなかったんだ。あの中にまだ自分のかわいい、小さい命があるのを見つけたの。」

お母さんは言った。

「最高のほめ言葉をありがとう。」

私は言った。

「そう言えるっていうことは、よっちゃんは、もうすっかりお店の側の人なんだね。お母さんも、そろそろ、なにかしらははじめるわ。散歩にも飽きてきたし、専業主婦が長過ぎたし。」

お母さんは言った。いったいなにを？　オオゼキでパートを？　それともカフェでバイト？　まさか飲み屋で夜のバイト？　古着屋？

そう言いたかったけれど、ぐっとこらえた。

なにをしたいと言い出しても、絶対受け入れなくてはいけないと思った。なにかをしたいなんて言い出すことが、気が抜けてしまった頃のお母さんには全くありえないことだったのだ。

「それより、よっちゃん、彼氏でもできた？」

お母さんは言った。

「できてないよ、なんで。」

私は言った。

「女の勘。」

お母さんは言った。さすがだ。私は答えた。

「ちょっと親しくなりそうな人がいるんだけど、そのくらい。でもなんかまだピンと来ないんだよね。私も今はまだだめみたい。」

「ED？」

お母さんは言った。

「いや、いろんな意味でそれはちょっと違うけど、近いかもしれない。」

私は言った。

「ときめいて、はしゃいだり、うきうきしそうになると、もう一人の自分が、冬の日本海みたいな波の荒い寒いところで冷ややかに見ているのがわかるの。今の私は、年相応の男の人となにかをさぐりあったり、語り合ったりしてだんだん親しくなってときめいたりすることが、ばかばかしい遊びみたいに思えてしまうの。」

「ああ、それの最上級を、今この年齢になって感じてるよ、私。ほんと、おんなじ気持ち。」

お母さんは言った。

「自分だけが大変だった、って思いたいわけでも、そうやって人を見下したいわけでもないのに、だれの言ってることも、軽々しく聞こえちゃって。」

その会話をしていてふたりともなんとなく意気が下がったので、歩いて五分の茶沢通り沿いのバーまで飲みにいくことにした。

安くないお店なので、たまの贅沢としてフレッシュな果物のカクテルを一杯だけ。それがまた夢みたいに甘くおいしくて、美しく磨かれたカウンターの暗い光の下でそれをちびちび飲んでいたら、喉からすうっと力がわいてきて、ちょっとだけ肩の重さが減った。

帰りにお会計をしているお母さんの後ろ姿は、老けたような、かわっていないような、不思議な感じがした。

外に出ると、かなり寒かった。もう冬の匂いが風に混じってかすかに感じられる。お母さんの初冬のコートはシカゴで買ったらしきあやしい黒革のトレンチコートだった。そばを歩いていると古い革の匂いがしている。どこかで知っているような古いもの独特の匂い。

時間が過ぎていく。今は今だ、悪夢に負けたくない。でもときたま生理的にただ負けてしまう。負けたままで、ずるっと見る景色のよさをわかるほど、大人になっていない。

お母さんは普通の顔で、風に吹かれてとことこと隣を歩いていた。ふたりでまるで旅をしているみたいに急にここにきて、そしてただぶらぶら歩く、この楽しい茶沢通りの夜の感じを私は一生忘れないだろうな、とほろ酔いで思った。

「もしもし？　もしもし？」

夢の中で、私は電話をかけていた。目黒の家の、自分の部屋にいた。

一生懸命呼びかけていた。必死だった。今電話がつながれば、お父さんを救うことができる、と思った。電波がとぎれがちなのか、電話はつながっているのかどうかわからず変な音がしていた。

「もしもし？　お父さん！　お父さん！」

私は叫んでいた。

「…よっちゃん？」

お父さんの声がした。

「お父さん！」

私はそう言って、どっと涙が出てきた。

その声には、かけねない愛情がこもっていた。私にはわかった。お父さんは最後の最後まで私に会いたかったんだ。あれ？　でもこのあいだ私はお父さんの携帯電話をここで見つけたはずなのに。そう思って混乱していた。

また電波が届きにくくなり、お父さんの言っていることが全然聞こえなかった。

お父さん！　と私は叫び続け、電話はぷちぷちと音をたてている。

林の中に入ってしまうと電波が届きにくいとか？　と夢の中の私は思っていた。実際はそんなことはないはずなのに、そんなふうに思った。そしてふいに電話の向こうの気配が変わった。

ふいに、電話の向こうで、かすかに、聞き取れないけれど、高くてかすれた女性の声がした。

私はぞうっとして、携帯電話を耳から離した。

耳からなにかが入ってきたような、いやな感じがして、首を振った。


「大丈夫？」

お母さんが私に触れていた。

この手のひらの力は大丈夫な力。生臭く、気持ち悪く、憎たらしく、うっとうしいけれど、私を抱き乳を含ませ育んできた根源的な力。

私はほっとして、目を開けた。

「お母さん…。」

私は涙を流したまま、言った。

「お父さん、お父さんって言っていたわよ。」

お母さんは悲しそうな顔で言った。真っ暗い和室、小さいライトの明かりに、髪をほどいたお母さんのシルエットが揺れていた。

「…うん。」

私はうなずいた。言えなかった。いちばんの戦友であるはずのお母さんなのに。

「よっちゃん、お父さんがまだ恋しいのね。そうよね、私、自分のことばっかりいつも。ごめんなさいね。」

お母さんは肩をとんとんと叩いてくれた。

違うんだ、と言いたかったけれど、言えなかった。こわすぎて、気味悪すぎて。そして今もしもお父さんのなにかとつながっているとしたら、それは私だけなのかもしれないし、なにかできることがあるのかもしれない。

もしかしたら私はまだ少しおかしいのかもしれない。お父さんの幽霊を家で普通に見ていたお母さん程度には。

夢の感じをお母さんにうまく言える自信がなかった。お母さんには言わないよ、ではない。それだったらたくさんこれまでにもあった。言えないことが愛情だということがあるのを、私は初めて知った。その中には「いつか必ず言う」という信頼の問題も含まれていることも。

私には成仏とか供養とか全然わからない、興味もない。ランチのポトフに入れるじゃがいもをいかに早くきれいにむけるかが最近の課題だというくらいの人生だったのだ。でも、あれではいけない、お父さんをあんなところにいさせたくない、どうやったらもう少しだけでも幸せな夢を見る日が来るんだろう。

「お母さん、やめて。お母さんはお母さんの人生を探していいの。私は、今の暮らしが好きだし、また見つけていけるものもある。でも、たまにこわい夢を見るの。私たち…こわいものをいっぱい見たから。林の中の車だとか、あの…」

私は言いながら喉がぐっとつまるのを感じた。

「死体だとか。」

お母さんは、しっかりとうなずいた。そして言った。

「見たものが、全てを壊してしまった。でも、私たちまだ生きている。大丈夫で調子がいいのを基準にしちゃだめ。最低のラインから見て今日はすごくましだったっていうふうにしたほうがいい。そうすれば夢なんかこわくない。」

その目を見て、私はお母さんが私とは違うかもしれないけれど、同じことをくぐっていることを知って、安心する。低いところで傷をなめあう悲しい安心。置いていかれてないとほっとするみじめな幸せ。今はそれがなによりも温かかった。

そんなもやもやした気持ちを隠して店に立っている日々の中で、新谷くんがやってくるとほんとうにほっとした。それはちょうど、家に帰って自分の犬とか猫に触ったときと同じような感じだった（悪いかなあ、と考えながらも私は思った）。彼の姿を見ると目が、手が、全身が昔の私に戻ったみたいで、ほっと休まる感じがするのだった。

どきどきするのでもなく、緊張するのでもなく、ちょうどよい温度のぬるま湯につかるときのような感じだ。あるいは夕方の海に入って、水がぬるく、太陽がゆっくりと沈んでいくのを見ているときのような。きれいな海水の中に、自分の疲れや肩こりが溶けていき、どんな温泉に入っているときよりも波のリズムにゆられてほぐされていくときのような。

彼を手放したくない、その頃にははっきりとそう思っていた。

でも好きだから、というのではなかった。手放したくない、ただそれだけなのだ。それが恋なのかどうか、私にはわからなかった。

「今日もポトフがありますよ。」

私は言った。

そして思う。もし私がいつもこのお店でまっすぐに立って、きびきびと働いていなかったら、彼は私を気に入ったのだろうか？　違うのではないだろうか？

私の中で、その程度の気持ちの交流を恋と呼ぶには、あまりにもこのところの人生経験は濃すぎた。だからふたりの間ではいい感じだけを保ちたかった。

「いただきます。なんかいいね、ここに来ると家に帰ってきたみたい。」

新谷くんはコートを脱ぎながら、カウンターに座ってそう言った。

またかわいいことを言うなあ、と感心しながら、私はワインの用意を始めた。みちよさんはさすがに最近にやにやしなくなったが、

「彼氏が来ても、接客がだれないよっちゃんは立派だ。」

とほめてくれるようになった。あたりまえだ、ここはスナックじゃないんだもの、と思いながらも、いつも最後の時間帯まで混んでいるこのお店がすごいんだ、と感じていた。

新谷くんは変わらずきれいな食べっぷりで、ポトフは夢みたいな速度で彼の口の中に入っ

ていった。彼は食べながら静かな顔で外を眺めていた。いつもすてきな靴をはいている。その全てが幸せだった。この場所で働いていること、新谷くんがお店にとけ込んでいること。窓の外には私の住んでいる部屋が見えていること。いつまでも続くことじゃない、ものごとはどんどん流れていってしまう、いつまでも続くと思っていたらうちの家族みたいにだめになってしまう。

でも、こんな幸せなことはいつまでもこのままでいてほしい、そう思った。

普通、お店で働いている私をボーイフレンドらしき人が迎えに来たら、店が終わった後家まで送ってくれるのが一般的なコースだと思うのだが、私の家は目の前すぎて、新谷くんも送りようがなかった。だから、いつもちょっとだけ飲んで帰った。

そして少しだけ話をした。新宿までの終電に間に合う感じで。

その日もそうだった。私と新谷くんは駅近くの地下に入ったところにある居酒屋さんでおつまみを少し食べながら、日本酒を二合だけ飲むことにした。

もうそのお店も閉めるところだったけれど、新谷くんがマスターと知り合いで「一杯だけ」と頼んだら快く入れてくれたのだった。お店の中はまるで昭和のような雰囲気で、お客さんには若い人がほとんどいなくって、おじさんやおばさんがほどよく酔って締めのデザートを食べていた。こういうお店があるのも、下北沢のふところの深さだと思う。

「僕、ばくらいをこんなに楽しそうに食べる女性を初めて見た。」

新谷くんは言った。

「だって飲食店で働いているんだもの、おいしいものは必ず食べるよ。」

私は言った。ばくらいとはこのわたとほやを和《あ》えたオレンジ色の食べものであるが、このお店の自家製のそれは格別だった。日本酒にあまりにも合うので目が覚めるようだった。店の人たちははきはきとしていて、地下とは思えないくらいに明るく活気に溢れている。そういうのを見ていると、いくら足がつりそうに疲れていても、私も負けないぞと素直に思ってしまう。

「ねえ、新谷くん。」

私は言った。

「うちのお父さんが、夢に出てくるの。」

「それは当然だよ。」

彼はきっぱりと言った。いいな、と私は思った。

「あのね、あまりいい感じではないの。なにか言いたいような、言い残したような感じで…それで、お母さんも、前の家にいるとたまにお父さんの幽霊を見たりするんだっていうの。そういうの、信じる？　もしかして、成仏していないとか、それだったらどうしようと思うと、そこから頭が離れなくってさ。」

　私は言った。

「ライブハウスっていうのは、こわいところで、けっこうそういうのがあるんだ。バンドの人たちって、どう考えても、しっかり売れて生活できたり、長く楽しく生きていける人たちばかりではないだろう？　薬で死んじゃったり、お酒で死んじゃったり、不摂生で病気になってしまったり、音楽をやめて別の仕事をはじめたり、ものすごくもめて憎しみあったり、いろいろあるんだ。あとグルーピーが自殺したり……」

　新谷くんは淡々と言った。

「そりゃあ、しょっちゅうじゃないけれど、そういうこともある。それで、その人がステージにいたとか、客席に死んだはずの女の子が座ってるのをステージ上から見たとか、そういう話も、もちろんあるんだ。」

「こ、こわすぎる。」

　私は言った。

「僕は、そういうのを信じるとか信じないとかに関してはまだ決めかねている。でもたとえば自分のバンドの追っかけだった人が自殺してしまえば、その人がライブにまで来ている気がするっていうの、わからなくはないよね。気分的に。それで見えた気がしてしまったり。

あとバンドの仲間が死んで、新しい人を入れたけど、ふっとそっちを見たら、前の人が演奏していた気がする、とかそれもなんかありそうだよね。錯覚だとしてもさ。」

新谷くんは言った。

「だから、錯覚かそうでないかは別として、やっぱりいちおうお祓《はら》いをしてもらったりするよ。ひそかに神棚もあるし。そういうのはお店には必要なことなんだよね。僕、なんか自分がそういうもの全部を背負っているような気持ちがすることがあるよ。霊を、ではなくってさ、いろいろな人がいろいろな思いで出入りする場所をクリーンにしておく責任っていうのかな、そういうの。」

「うん。」

私はそれを聞いていて、心が普通の意味でほぐされていくのを感じた。きちんと説明してもらえると、自分の心の動きもなんとなくわかってくる。

「だから、わかるよ。よっちゃんの言うこと。まず、生きているほうの人たちの気がすむことがいちばん大事なんだ。死んだ人を供養するよりも。だから…お墓参りをするとか、それから、現場に行ってみるとか、そういうのもありだと思う。」

新谷くんは言った。

「茨城に？」

私はびっくりした。

「あの場所に？　あんなつらくてこわかった場所に？」

昔、家族で何回か行って楽しかった大洗のすてきな水族館にさえ一生行けそうにないと思っているのに。

お父さんは水族館が好きで、家族でどこかに行くとなると、必ず水族館のある土地を選んだ。

あの最悪の日、東京駅では、まわりのみんながみんな楽しそうで、駅のまわりは旅に行く人か帰ってきた人ばかりで、待ち合わせの人たちがひっきりなしに笑顔でめぐりあっているのに、私とお母さんだけは真っ暗闇の中にいるみたいで、夏の光がまぶしすぎて、焼かれるようだった、あのとき。お父さんの遺体を確認し、引き取りにいくためにバスを待っていたとき。

ここからバスに乗って家族三人で大洗水族館に行った、あの日に戻れたらどんなにいいだろう、とこめかみが痛くなるまで願った。同じ場所を目指しているのに、どうしてこんなつらい気持ちでいるんだろう、と。

「なんだったら、いっしょに行くよ。最近店も安定しているから、休みは取れるし。」

新谷くんは言った。

「ううん、いいよ。まだ自分もそんなことできるかどうか、わからないもの。」

　私は言った。

「でも考えてみる。お祓いってどうすればいいの？」

「うちは地元の神社の人を呼んでお願いしてるからほとんど形式的なことだけど、お花を供えるとか、なんかそういうのでいいんじゃないかなあ。」

　新谷くんは言った。

「僕も考えてみるよ。ただ、思いのほか、儀式っていうのは大切なものなんだ。亡くなった人のためというよりも、自分を納得させて、区切りをつけるのには最適な方法だと思う。スタッフもバンドの人たちもなんとなくそれでほっとするし、実感としてそう思うんだよね。それをしないとそれぞれがもやっとしてるから、続く気がして。」

「ありがとう、私も、まだまだ自分がそんなことする気がしないんだけれど、こわい夢ももう見たくないし、そういう方向も考えてみる。カウンセリングとか受けたほうがいいのかもしれないし。」

　私は言った。

「なんでも、急がないほうがいいよ。」

　新谷くんは言った。

「急いではしょったら、その分また後で同じことになるし。」

「新谷くん、どうやってそんなこと言えるようになったの？　まだ若いのに。」

私は言った。

「小さい頃から、売れない音楽のゾーンに関わってくると、ものすごくたくさんの割りきれない切ないものを見るんだ。数えきれない人に会って、数えきれないほどの別れがあって。うちのような、老舗《しにせ》でも小さいライブハウスで演じる人たちは、売れる前か、ずっと売れていないか、売れてから戻ってきてたまに演奏してくれるかのどれかで、つまりそれぞれのキャリアの中で通り過ぎていく場所なんだ。君のお父さんみたいに安定しながら定期的に出てくれる人たちもいて、そういう人たちがいちばんほっとするけど。」

新谷くんは言った。

「僕はなにもできない、平凡な人間だ。でも僕の目が見てきたものは、語り尽くせないくらいたくさんなんだ。」

「そうなんだ、だからそんなに大人っぽいのね。」

私は言った。

「あまりにも混沌《こんとん》としたいろいろなものを見ると、よっちゃんみたいに輪郭のはっきりしたものがものすごく見たくなるんだ。」

新谷くんが言った。

「それって、泥沼ばかり見ていると、蓮の花が美しすぎて目がくらむみたいな話?」

私は笑った。

「そこまでは言ってないけどさ。」

新谷くんも笑った。

「君の好きなプリファブ・スプラウトを聴いてみたよ。僕もかなり好きかも。お父さんたちのバンド名は、そこから取ったの?」

「どうなんだろう、ちゃんと聞いたことなかったな。でも、お父さんが彼らを好きでいつも家でかかっていたのも確かなの。女性コーラスが多いところなんて、かなり影響を受けていたかもしれないね。もう廃盤になったCDもいくつかあるから、いつでも貸してあげるよ。」

私は言った。

心の中がほっかりと温かくなった。

それを抱いてくれているのは、この街。そしてこのお店の雰囲気だった。

ずっと営まれているこのお店にきっと昭和の時代から同じように絶え間なく流れている活気のトーン。このお店の人たちがマスターを中心に毎日静かに作り上げて、お客さんたちといっしょに塗り重ねてきた地味で大切な土台。

私たちの日々もそれと同じように育まれはじめていた。派手ではない恋愛、まだ寝てもいない小学生みたいな、韓国ドラマみたいなまじめなふたり。しかし、急がなくていいところが教えてくれているような気がした。だって今、日本中がどこに行っても急げと言っているみたいだから。ここではせめてのんびりしたり、おろおろしたり、情けなくなったり、だめになったりもしようよ。人間はだいたいだめなところがあるし、そんなにはがんばれないよ。なるようになるよ。それぞれ違うところがあるよ。

今はなかなか聞かれなくなったそういう言葉たちを、柱やお皿やお客さんたちの赤ら顔に刻まれたしわが語っているように思えた。

新谷くんの急がないほうがいい発言は、そのままふたりの関係に重なって聞こえてきて、今は急ぎたくない私の気持ちをほっとさせた。

古びたカウンターの上に、食べかけや飲みかけのものが並んでいる、そんな、あまりすきではないはずの光景さえ、落ち着いた気持ちに花を添えるように思えた。

お母さんが突然にバイトを始めたことを知ったのは、それからしばらくしてからのことだった。

ある夜、休憩時間ができたので近所の日本茶喫茶にお茶を飲みにいったら、和風のエプロンをしてお母さんが働いていたのだった。

「お母さん、なにしてるの？　店番？」

店長のえりちゃんが見当たらなかったから、ちょっとのあいだ店番をしてあげているのかと思ったのだ。

「ううん、バイト。おとといから始めたんだ。だってよっちゃん帰りが遅いし。私煎茶いれるのなら昔趣味で習っていたから、もう少し習い直せば、いざとなったらお茶もいれられるし。」

お母さんは淡々と言った。

「そ、そうなんだ…。」

私はあっけにとられた。お母さんはちゃんと履歴書を書いたのだろうか。面接も受けたのだろうか。

「じゃあ、柚子《ゆず》こぶ茶ください。」

席に座って私は言った。

「お茶請けはなににしますか？」

お母さんは小さいトレイに載ったお茶請けの見本を持ってきた。数種類のかわいいお菓子が、お皿に盛られて並んでいる。

「あ、うめあられでお願いします。」

私は言った。なんだか小さい頃にお母さんとしていたおままごとのままだなあと思って、照れくさくなった。

しかしお母さんは動じず、慣れた感じでカウンターの中に入り、淡々とお茶のセットを用意しはじめた。そこにえりちゃんが帰ってきて、

「あ、よっちゃん。お母さんにバイトに来てもらうことになっちゃった。」

といつもの落ち着いた笑顔でにっこりしてくれたので、私はいろいろな気持ちがどうでもよくなってしまった。

えりちゃんはさっさと働きはじめ、お店の中には私の内心がどうであろうと落ち着いた空気が流れていた。何十年もこの場所にあった空気がしっかりと生きて少しずつ継ぎ足され、続いている。棚には整然とお茶が並び、お店の中の人は思い思いにのんびりとしていた。お湯の沸く音とかかっている静かな音楽がひとつの音色となって耳に入ってくる。

まあいいか、家で退屈してびっちりとひとりネイルを塗ったりあてどなく散歩や読書をしているよりも、働いているほうがなんとなく安心だ、そう思った。でもカウンターの中で小声でえりちゃんと話しているお母さんが昔の、元気な頃のお母さんのようだったので、少しだけ嫉妬で胸が痛んだ。

お母さんが元気になっちゃうと困るのは私だったのか、そう思って自分の幼さにびっくりした。私だけのお母さんとして、あの和室に閉じ込めていたのは、私だったんだ。ここに立ったらもうお母さんは公のものなんだ。

お母さんが運んできたお茶を神妙な気持ちで、私は味わった。甘くておいしかった。

そうか…時間はたっているんだ、と私はまたしても思った。

私もそろそろもっとしっかりしなくちゃ、お父さんの死に逃げていたらだめなんだな。まだ若いのにこんなことになるなんて、と自分を哀れむのもやめよう、だって、もうこうなっちゃったんだし。世の中にはもっとすごい目にあった人がたくさんいるわけだし。流れとは違うことが急に起きたからおかしくなってるだけで、きっと起こりうることなんだ。

立ち働いて外向きの笑顔を作っているお母さんを久しぶりに見るのはなぐさめになった。なにかが戻ってきたような気がした。みんなが家族を作ろうとがんばっていた時代の輝きのようなものが。失う痛みの中にある、もの哀しいきれいさみたいなものといっしょに。

私は、もうお父さんのことを少しずつこのまま忘れていってもいいのかな、と心からそのとき思った。ほじくりかえしたり、供養だとかそんなことは、何十年もたってからでいいのではないだろうかと。きびきびと働いているお母さんの姿は、そういうふうに現実の中に私を落ち着かせる役割をした。それから、テーブルに生けられた小さい花も、やかんの湯気も、差し替えのお湯がたっぷり入った銀色のポットも、いまここに自分はいる、あせることはないとしみじみ教えてくれるようなお店だったのだ。

しかし、そうはいかなかった。私の中の、暗くしつこくじめっとしているもうひとりの私が、まだまだいろいろなことを呼び寄せ続けていた。


そのおばさんがレ・リヤンにやってきたのは、そんなある日の、もうランチタイムが終わろうとしているときのことだった。

「お茶だけでもいいですか？」

と言った色黒の濃い顔のおじさんの後ろで、その見知らぬおばさんは私をじっと見ていた。

「お店は三時までなのですが、よろしいですか？」

と私は言った。

「はい、ぜひ。」

とおじさんは言った。どこの言葉だろう、少し訛《なま》りがあるのを感じた。

奥さんであろうその女の人は、ぱっちりとした目がとてもきれいで、かげりのある顔をしていた。体つきは案外たくましく、よく動く働き者という雰囲気。東京のガイドブックを持っているので、旅行者かな、と私は思った。

ふたりはコーヒーを注文し、そのあとぼそぼそと小さい声で話しあったあと、アップルパイをふたりでひとつ頼んだ。

アップルパイを出してからは、表の掃除をしたり、夜の支度をしたりするのでみちよさんと厨房にいたりしていて彼らの動向をあまり細かく見ていなかった。いすの音が聞こえ、お会計だと思って私はさっと出ていった。おばさんがきっちりとお金をかぞえて私に手渡し、私はありがとうございました、と言い、そこで終わるかと思った。

おばさんは言った。

「私、中西ともうします、茨城から来ました。」

うわ、茨城か、と私は思った。

「親戚の法事があって東京に来たのですが、お話ししたいことがあって…あの、お父さまのことで。」

おばさんは言った。

「五分だけ、いいですか？　夫もあのとおり外で待っておりますし、それ以上お時間は取らせませんので。お話ししたかったんです。」

「わかりました。」

緊張した気持ちで私はうなずいて、みちよさんに許可を取りにいった。みちよさんは私の顔色を見てすぐに、いいよと言ってくれた。

おばさんは立ったままで話し始めた。

「私は、今はあの表にいる人と再婚しているのですが、前の夫を殺されかけました。あの女に。」

私は目の前が真っ暗になった。だれかを知ればよくも悪くもつながりができてしまう、それを一瞬にして思い知った。

「でもね、私の場合は心中未遂で終わったので、夫婦が壊れただけですんだんです。あの女は、ずっとだれかをまきぞえにして殺そうとしていました。近所では有名な女でした。スナックで働いていて、お客さんを心中に誘うんです。顔がきれいなだけではなくって、弱いところのある育ちのいい男の人がひきずられてしまうようななにかを持っているんです。そりゃあ、ひきずられてしまうほうも悪いんですよ、でもあの女は強烈だったんです。別れた夫はあの女としばらく暮らしていましたが、ずいぶん前に病気で亡くなりました。きっと命を吸い取られたんでしょうね。そういう人っているんです。」

「そうですか…。」

ここにも、同じことになった人がいるんだ、と私は妙な感慨をおぼえていた。

引っかかったお父さんが悪いんだなあ、うかつだったんだなあ、と冷静に思いさえした。

でもひとりの人間の女性がそんなブラックホールのような存在になってしまうなんて、いったいどういうことなんだろう、とも思った。うかつに推測することはできないくらいに自分の世界とかけ離れた存在が、自分と血だけではなく確かにつながっている。

「なのでね、私、できることなら、あなたのお父さまのお墓参りをしたいんです。」

「いえいえ、それには及びません。法事をするとき、心の中でお伝えしておきますから。」

私は言った。こんな人のことを知らせたら、お母さんが怒り狂いそうだ。

「でも、やりきれないんですよ、死んだ人がいると思うとね、自分の責任もあるような気がして。」

おばさんは目にいっぱい涙をためていた。

「よかったら、お墓の場所だけでも、教えてもらえますか？　手を合わせて、お線香をあげたいのです。それだけでいいんです。私の気持ちがすむんです。」

「いえ、そんなこと…私もまだまだ混乱していますので、まだ考えられないことがたくさんあるんです。それでしたら、墓地の場所をお教えするのは、かまいません。でも…」

私は言った。

「どうか、私たち家族を、今はただそっとしておいてください。」

「お気持ちはわかります、そっとお参りして帰るだけですから。それで私の気持ちがすむんます。でも、もしもね、供養とか考えておられるのでしたら、あちらによい人も知っておりますし、お声がけください。」

おばさんはまっすぐに私の目を見た。涙にぬれた、きれいな目だった。そこに変なものは感じられなかった。この人は本気で言ってくれているんだろうな、ということはわかったし、今のこの人がもうこの問題から解き放たれて幸せでいることもなんとなく伝わってきた。

「旅行のついでにでもいいんです、もし、茨城にいらっしゃるときはなにかさせてください。私は鹿嶋に住んでおります。私は、お父さまが亡くなられたのは、私の元主人が生き延びたのが、悪かったんだと思っております。あのとき主人がいっしょにあの女をあっちの世界に連れていってくれていれば、こんなことにならなかったと思って。」

「そんなことないですよ、うちの父がまぬけだったんです。」

私は言った。

「いいえ、そんなことありません。うちの元夫が半端な関わり方をしたから、とばっちりがそちらに行ってしまったんです。お恥ずかしいことです。私、なんだか今も気がすまなくって、新聞を見てからずっと気がかりで気がかりで、お墓参りをするのが唯一できることだと思って、ここに寄らせていただいたんです。」

おばさんは言った。

私は、おばさんに都内にある、お父さんのお墓がある霊園を教えてあげた。おばさんは黒いおじさんと寄り添うようにして、駅のほうへと去っていった。

お父さん…お人好しで、すぐ人の相談に乗っては胃が痛くなっていたお父さん、貧乏くじという言葉が似合いすぎる雰囲気をいつもどこかに持っていたお父さん。やっぱりそうだったんだなあ、と私は切なくなった。

いろんなことをもうとことん考えつくしたのに、お父さんのことを考えるとやりきれなくなる。なにをしても帰ってくるわけではないのに、なんで無性になにかしてあげたくなるのだろう。

まるで片想いの人みたいに、なんでもいいからなにかしてあげたい、気づかれなくてもいいから、力になりたい、そう思うのだ。

山崎さんに電話したくてしかたなくなり、かけてしまった。

携帯電話をにぎりしめて、南口の駅前のスターバックスから。

なんでこんなときに新谷くんにかけないんだろう、と思うけれど、新谷くんだと喜んでいっしょに茨城に来てくれてしまいそうで、そして供養にも参加してくれそうで、なんだかこわかった。そこまで関係を一気につめるのは。

「はい、もしもし。」

いつも同じトーンの山崎さんが出てきて、私の動揺はすうっと収まった。そして急に、電話をしてしまったことが恥ずかしく思えてきた。すごい効果だ。

「よしえです。今、お電話大丈夫ですか？」

私は言った。

「大丈夫だけど。なにがあったの？」

山崎さんは言った。

「ええと、つまらないことなんですけれど、母に言えないので、だれかに言いたくなって、電話してしまいました。さっき、お店に、茨城からのお客様がいらして、その人も、あの女の人とご主人が心中未遂をしたっていうんです。そのご主人は後に別の病気で亡くなったそうなんですが、供養を申し出られて、私、動揺してしまって、とにかく霊園の場所を教えたんですが、そんなことしないほうがよかったかな、と思って。なんだかぼうっとして教えてしまったんですけれど。なにをしているのか、なにが正しいのかさっぱりわからなくなってしまって。」

私は言った。言ってしまってから、なんでこんなことしているんだろうと思った。

ばかみたいだ、これじゃあ、まるで子供を装って、悩みを装って、口説いているみたいだ。

でも、他に行き場がなかった。山崎さんの声だけが受け入れられるものだったのだ。愚かとわかっていてもしてしまうことはある。生前のお父さんがどれほどこの人を頼りにしていたか、よくわかった。

この人の顔を見たいし、この人の声を聞きたい、そうしたら安心する。だってこの人は絶対こちらがわに無理を言わない、それからこの人自身も無理をすることはない、自分の時間割と自分の考えを持っていて、それに添わないことは口にしない、そう思える人なのだ。

「供養って…なんでその人がするの？　お父さんの供養。どう考えても関係ないじゃない。」

山崎さんはちょっと笑って言った。

「罪悪感があるからだそうです。」

私は言った。

「そうか、なるほどね。その人の気持ちもわかるな。」

山崎さんは言った。私の心はどんどん落ち着いてきて、あの人にお墓の場所を教えたことでなんであんなに変な気持ちになったのかさえ、すっかり忘れてしまった。

「もしなんかしに行くんだったら、そのときは僕も行こうか？　だってそれ、万が一宗教の勧誘とかだったらいやじゃない。おふくろさんも行くんでしょう？　人気のない林の中だったら男がいたほうがいいかもしれないし。車も出せるし。」

山崎さんは言った。

私は嬉しかった。お父さんに関して、仲間がいる。新谷くんもそのひとりだ。お父さんの死が広げた人間関係がある。生まれたものだってあるんだ、負けるものか、そう思った。

「もう少し、考えてみます。またお電話してもいいですか？　お母さんにはなるべくいろいろなことを言いたくないんです。今、バイトのお仕事をはじめたりして、やっと少し元気になっているし、お父さんと個人的に仲がよかった人は、実はとても少ないし。」

私は言った。新谷くんは割り切りがよく行動的すぎて、相談できないんだなということが、話しているうちに自分なりにわかってきた。なんでも結果に結びつけてしまうてきぱきした人に相談すると、連鎖して話が急に進み、いつのまにか自分が納得していないままに変なことになってしまう感じがしてこわかった。

「まあ、あいつネクラでまじめでくよくよしやすいから、友達が少なかったからな〜！」

山崎さんは笑った。私も笑った。お父さんが生きているときみたいに無邪気に。

なんていうことのない会話でも、そこには言葉のやりとりだけがあるわけではない。自分が言いたかったことが確かに伝わったという安心感。向こうがなにも無理していないという気楽さ。思ってもいないことは絶対言わない人だという信頼。そういうもののやりとりがあった。お父さんのいた時代のいちばん楽しい思い出を共有していて、それをひとかけらも壊したくないとどちらも思っているからだろう。

「いっそみんなでお祭りみたいな気分で行くといいんじゃないかな。僕も行きたいよ、なにかイモに関わることをすると、落ち着く気がするし。残りのメンバーや仲間うちで何回忌かに追悼ライブをしようという話も会うたびに出る。もちろんおふくろさんが落ち着いて、来ることができるようになった時期にね。だれも泣き出してしまわなくなった頃に、イモの創った曲をみんな演奏するんだ。そういうのってきっと天に届くと思って。

そうだ、もし、茨城に行くなら、帰りに大洗水族館に行こう。僕もイモといっしょで、水族館大好き。よくツアーのとき、ひまな時間ができるといっしょに行ったなあ。大阪とか、沖縄とか。」

山崎さんは言った。

「温泉もあるし、茨城、行こう行こう。」

彼が、私をはげまそうと思って楽しそうに話しているのはわかっていたが、心からの無邪気さもありそうな素直な話しぶりだったので、私の気持ちまで少し晴れた。いつか三人であの林の中に行って、手を合わせて、そのあと遊びにいったらどんなにかすっきりして楽しいだろうとさえ、思えてきた。

「お母さんも誘ってみますね。」

私は言った。

冬に入ってからの露先館の明かりは、他の季節よりもいっそう温かい。

今にも崩れおちそうな建物のすみずみに明かりがしみているような、冬の空気ににじんでいるような感じがする。私はレ・リヤンが属しているその建物が昔からとても好きだった。人が住んでいるところにお店が同居している、その感覚は街かどを優しく覆っていた。古い窓ガラスも、音が響いてうるさい階段も、いつかのどこかに経験してだれもが知っている懐かしいものだ。

住んでいるご夫婦のたたずまいも、桜の木も、色とりどりの看板も、もはやひとつの印象のかたまりになって、そのあたりの空気を支配していた。

くもり空のどんよりとした日に、露先館の明かりを見ると胸がじわっと温まる感じがした。私はその古い建物の中で働いていることを、あらゆる季節を通して誇らしく思っていた。

その朝出勤すると、みちよさんは沈んだ雰囲気に見えた。カウンターに座って、目を伏せてレシートの整理をしていた彼女は、明らかにふだんと違うものを発散していた。

「なにかあったんですか？　元気がないように見えますけれど。」

私は言った。

「ここがとりこわされることになったんだって。お店は年内いっぱいで終わりにするしかない。」

みちよさんはぼそっと言った。

「ええっ。」

あまりにも驚いて、その次に思ったことがみんな口から出てしまった。

「このお店はどうなるんですか？　そして私は？」

今日のような日がずっと明日もあさっても来年も続いていくと、またしても思ってしまっていた自分に気づいた。違うのだ、こうならないといつもわからないけれど。

「まだ考えてないよ、今日聞いたんだもの。あまりにも老朽化が進んで、保存できないっていうのは聞いていたんだけれど、ついに来たんだなあと思って。」

みちよさんは静かな口調で言った。

「私、ここは重要文化財のようなものだと思っていました。保存されるものだって。」

私はことの大きさがまだ腑に落ちていなくて、とんちんかんなことをつぶやいた。それでも、もうこの事態に慣れはじめている自分にも驚く。聞いた瞬間から、慣れている場が生まれている。そして育っていく。どんなことだってそうだ。

「私も、そう思っていたけど、しかたないことみたい。露先さんのほうではなくって、大もとの地主さんにもいろいろ事情があるみたいだし、もう決まったことなんですって。」

みちよさんは言った。

「そうですか…。」

私はただうなずいた。みちよさんは私をしっかりと見て言った。

「でもね、私、やっぱりこの街が好きだし、お客さんたちも好きだから、下北沢でお店をやりたいのね。だから、しばらくお休みしてフランスに行って、帰ってきたら、半年後くらいから、またこの近くでお店をやろうと思う。とりこわしを前提として借りていたここほどお家賃が安いはずはないから、もう少し小さいお店になるかもしれないけれど、お金も貯めてあるし、大丈夫。…それでね、よっちゃん。」

「はい。」

緊張しながら、私はじっと待った。

「もしよっちゃんさえよかったら、次のお店にも来てほしいの。今よりもお金は安くなるかもしれないけれど、なるべくがんばるし、お休みの間もこれまでのお礼として二ケ月分はお給料を出すから。」

「ほんとうですか？　あ、お金のことではなくって。」

私は言った。

「私は、次のお店にももちろんついていきます。みちよさんの味と下北沢が好きなんです。もしおじゃまでなかったら、物件さがしもついていきますよ。」

「ありがとう。まずはここを閉めるまで、頭を真っ白にして全力でやろう。」

みちよさんはにっこりとして言った。

「みちよさん…その、旅行は、彼氏とか、お友達といらっしゃるんですか？」

私は言った。

「ううん、ひとり旅よ。だいたい今私、彼氏はいないもの。それどころじゃないもの。まあ、最初と最後はパリの女友達のところに寄るけれど。一ケ月か二ケ月くらいは行こうかな。」

みちよさんは言った。

「もしよかったら、私も連れていってください。今の貯金では二ケ月は行けないと思うので大事なところだけでいいのですが、みちよさんのこれからの味を知りたいんです。フランス語が話せないので足手まといになるとは思いますが、ご検討ください。」

私は後先考えずに、そう言った。一瞬、お父さんのことを忘れ、力がみなぎってきた。

「いいよ。ちょうど前半はパリの知り合いの家に転がり込んで、後半は北や南を貧乏旅行しようと思っていたの。ブルターニュも行ってみたいし、プロヴァンスも興味あるし。とにかくフランス中、行けるだけね。だから、そのあたりだけ、いっしょに行こうか。パリに関しては、予算を言ってくれれば、てきとうなホテルをとってもらっておくから。友達の家はふたり泊まるにはあまりに狭いんだ。」

　みちよさんは笑った。

「おいしいものを安くいっぱい食べて、次の店のメニューをいっしょに考えよう。」

「はい、よろしくお願いします。」

　私は言った。これは後退ではない、前進だと思いたかった。でないと淋しくなってしまいそうだったのだ。

「この建物がとても好きなので、淋しく思っていたし、よっちゃんも辞めてしまうのかな、と思っていたけど、少し楽しくなってきた。心強いよ、ありがとうね。」

　みちよさんは言った。

「このカウンターも、小さな窓も大好きだったなあ。古いトイレも。しばらくの間だけれど、大事にしよう。この建物が満足してこの世を去っていけるように。私、悲しい気持ちももちろんあるけど、この場に立ち会えたことを光栄に思うよ。この建物が長い歴史の中の最後の時間を私にあずけてくれたような気がする。」

　彼女はあたりまえのことを、あたりまえに言っているのに、とても新鮮に感じられた。

　最近こういうことをじっくりと言う人の言葉を聞いたことがなかった。場所に対する覚悟を持っている人たちの普通の愛の言葉。この世からどんどんそういうものが減っているから、たまにそういうものに触れるととても安心できる。

「私も、お手伝いします。」

私は言った。

この人なら、ついていっても人生に悔いはない、そう思えた。

そんなふうに思えるなんてなんと幸せなことだろう。もし私が皿洗いはつらいとか早起きはいやだとか立ち仕事は疲れるとか下ごしらえは大変だとばかり思っていたら、きっとこんな気持ちにはなれず、独立ばかりをあせって、だめなお店を作ってしまっただろうと思う。私の心にそれなりの筋肉のようなものがついていたから、はじめてみちよさんのすばらしさを理解できるのだろう。

この街に来てから、私はどんどん素直になっていくし、地に足がついていく、そう思った。はじめは観光気分で、そして今では自分の足跡のひとつひとつが大地に刻まれていくのを、その蓄積を感じるようになってきた。

毎日私が歩くことで、地面に繰り返し私の足跡が刻まれることで、自分の中の街もできていく。その両方は同じように成長していき、自分が死んだ後も気配は残るだろう…そういう愛のあり方を、はじめて学んだ。

ふるさとの街ではどうしても学べなかったことだった。

あの街では私がまだ自分の足で歩いていなかったから。今戻れば、切なさや懐かしさを感じることはもちろんできる。でも、重さや暗さもいっしょについてきてしまう。

いつか、お父さんのことが落ち着いたら、あの街をほんとうのふるさとと呼べるだろうし、いつか必ずそんな日も来るだろう。

ここでは、お母さんも私も嘘をついていない。自分らしく息をしている。

ああ、お父さんと三人でここでやりなおせたら、そう思った。

もう決してかなわない夢だった。

私は涙が出そうになり、窓の外を見た。平和に人々が通り過ぎていく茶沢通り。

汗と腰痛とさかむけを味わいながらこつこつと日々を重ね、信頼を得て人生の当分の進路が決まった私、そして無理してマダムをしていないほんとうの素朴で陽気なお母さん、そんな私たちとお父さんがここで暮らしたら、もっと気楽で新しい何かが生まれたかもしれなかったのに。

なんで生きていると、体だけは勝手に立ち直っていくのだろう。

いや、だからこそすばらしいのだ。体が助けてくれるから。

今日もお母さんは日本茶喫茶の和風の空間に身をおいてバイトをしている。これまでにはなかった体の動かし方で立ち働き、おなかをすかせたり、疲れたりしている。体の新陳代謝といっしょに、一歩ずつでも、どうしても進んでいってしまう。お父さんを置き去りにして。

今の生活の中には、残酷なくらいお父さんがいない。あと半年たったら、私は行ったことのない場所でたくさんの刺激を受けて、新しい味に向かって進んでいくだろう。

もちろん変わらないものもある。思い出の中にある懐かしい色や匂いや味やさまざまな場所。

でも、体の感覚として味わえるわけではないんだ、そう思う。お父さんの背中の匂いをかぐことはもう二度とない。思い出すことができるだけだ。

生きていることってなんて生々しくて残酷なんだろう。

私はそのことに初めて気づいて愕然としていた。

失っていく、もう戻らない。

そのかわりに、私はこれまで知らなかった、雨の茶沢通りの匂いを知っている。

晴れた日の南口商店街を、おしゃべりしながら歩く若者たちのざわめきをくぐりぬけて、駅に向かっていく独特な雰囲気や気持ちを知っている。

新谷くんのことだって、半年前は知らなかったのだ。向こうは少しくらい知っていたかもしれないが、私には未知の人だった。

お父さんを忘れよう、前向きになろうと思ってがむしゃらにやってきたのに、そんな努力と関係なく、私の体はもう今の中にずる賢く溶け込んでいる。引きずられてあちら側にうっかりと行ってしまったお父さんを責めることはできないくらいだ。勝手に忘れていき、なにかが取り残される。その取り残されたなにかが体の奥でうずくまる。同じスピードで過ぎていかないから、どうしてもギャップが出てしこりが残る。

どうやって流していったらいいんだろう、そう思った。

あのおばさんにもう一回会って何かを共有するのは気が進まなかった。それは確かに正式なものなのかもしれないけれど、どうしてもあのうら淋しい林の中で座って祈っている私とお母さんが浮かばなかった。山崎さんとお母さんと三人で大洗水族館に行く画面のほうが、まだ今の私にはリアルだったのだ。鎮魂というならこの生活自体が鎮魂だ。これ以上に真摯《しんし》な祈りはない。

あのことをきっかけにして、私たちは命や時間をむだにすることをやめた。わかろうとしたり、わかったつもりになってあれこれ考えるよりも、毎日を自分なりにこつこつ紡いでいくことに決めたのだから。

そんなことを考えていたある日の午後、新谷くんと新宿で待ち合わせをした。

いっしょにコンランショップに行って、彼の買い物につきあうというデートらしいデートだった。そんなにデートらしいデートをしたことはこのところずっとないのかも、というくらいに、違和感があった。ワンピースを着て立っている自分が書き割りの中の人みたいに浮いて思えた。

ビルの一階に立って、新谷くんがいろいろな人々に混じりながらぴかぴかと光る床の上を薄いコートのすそをなびかせながら歩いてくるのを見て、しみじみ思った。

私は新谷くんの顔がほんとうに好きになってきている。どこをどう見ても嫌いなところがない。性格の大胆さと落ち着きがみんな出ているような目元口元にほれぼれする。私の年相応の心が彼に傾いている。時期さえよかったら、どんなに夢中になって苦しかっただろうか、そう思った。

私が彼を見る目はちょうど、奥さんがいて、でも大好きな見た目の若い彼女を見る男のような、奇妙に切ないものだった。今の自分にはふさわしくない、でも時と場所が合えばどんなにか燃えただろう、そういう感じだ。余裕があるという言い方もあるし、だからこそうまくいっているのかもしれないけれど、ただ少し悔しい、そういう気持ちだった。もしかして、初恋の人と中年になってから再会してつきあいはじめたら、こういうふうなのではないかと想像したりもした。心は変わらない、でもどうせつきあうなら、もっと若い肉体で後先考えずに思いきりつきあいたかったな、みたいな感じ。

そんな私の複雑な気持ちも知らず、新谷くんは私を見つけると笑顔で足を速めた。

「このあいだ停電のときつまずいてコーヒーをこぼしちゃったのをきっかけに、今度こそ、前よりもましなソファを買おうと夢見ていたんだよね。実家から持ってきた合皮のいいかげんな奴だったから。」

新谷くんは言った。

「実家の話、はじめて聞いた気がする。どこにあるの？　新宿の近く？」

「ええと、日暮里っていうところ。おやじとおふくろは僕が大学生のときに離婚して、今おふくろはおふくろの実家がある神戸にいる。おやじだけがもともとの家にいて、別の女性と再婚したから、その人とふたりで住んでる。」

「そうなんだ。私の両親も、私が小さい頃、谷中に住んでいたのよ。日暮里に近いよね？」

私は言った。

「すごい偶然だなあ、その頃のこと覚えてる？」

新谷くんは目をキラキラさせて言った。

「ううん、赤ちゃんだったから。」

覚えていないことを申し訳なく思いながら、私は答えた。

「そうか、あのへんはすごく落ち着くんだよ、大好きなんだ。お寺がいっぱいあって、坂道ばっかりで。今度散歩しにいこうよ。」

新谷くんは言った。大好きな地元という感じの言い方だった。

「私たちが住んでいたアパートってまだあるのかなあ、お母さんに聞いてみるね。」

私は答えた。

彼はなんの苦労もなく親の仕事を継いだのかと思っていたが、やはり楽なだけの人生の人はなかなかいないものなのだなあ、としんみりした。そうか、悲惨な状況だったけれど、離婚していないし、家族解散にもなっていないということは、ある意味うちのほうが仲のよい家族だったということなのかもしれない。

新谷くんの部屋のために、いっしょにブルーの分厚い布地のきれいなソファを選んだ。濃い色のほうがいいよね、汚れが目立たないし、などという会話をしみじみと夫婦のようにしながら。

「想像していたよりもずっと安くあがったから、今晩はおごるよ。」

と新谷くんは言った。

「いいよいいよ、いっしょに選んだだけで、私はなんにもしていないもん。」

私は言った。

「いや、いつもおいしいもの食べさせてもらってるから。」

新谷くんは言った。

「あれはみちよさんが作ってるんだもの。」

私は笑った。

「うちの近くに、ものすごくおいしい韓国料理屋さんがあるんだ。行かない？」

食べることが好きな新谷くんはにこにこして言った。

「いいよ、今日はお母さんも夜までバイトだし。」

私は言った。

「お母さん、バイトしてるの？　どこで？」

新谷くんが驚いた顔で言った。

「花屋の前の日本茶喫茶。日本茶を出したり、そのお店の亀の世話をしたりしているよ。」

私は言った。

ははは、と新谷くんは笑った。

「今度素知らぬ顔で行ってみようっと。すごいなあ、井本母子に会おうと思ったら、あのへんに行けばいつでも会えるんだ。」

「わからないよ、逃げ足は速いかも。家財道具も少ないし、あっというまにひきはらえるもの。」

私は笑った。そして言った。

「でも、今でも不思議なの。ちょっと買い物があって、セブンイレブンに行こうとおさいふを持って、外に出るでしょ？　それで、茶沢通りを歩いていると、なんだか変な感じがするの。旅しているような、観光地でちょっとだけなにか買いに出るときのような心もとないような自由なような、そんな気がするの。

あのね、昔、うんと小さい頃、もう目黒に住みはじめてから、お父さんとふたりでバスに乗って、下北の南口商店街に来たことがあるの。あまりにぎやかだから、お祭りなの？　って私が聞いて、お父さんは違うよ、日曜日のここはいつもこんなふうだよ、って言って、手をつないで歩いた。商店街の飾りが風になびいて、人々の声が重なって音楽みたいに流れていて、いっしょにお茶を飲んでいるあいだも、外国のお祭りを見ているようだった。お父さんはレコードを何枚か買って、私に小さいおさいふを買ってくれた。

よくある一日の、なんということのない思い出なんだけれど、お天気とお祭り気分がちょうどよく混じって、お父さんの機嫌もよく、そのおさいふもずいぶん長く使ったから、いつのまにかとても重要な思い出になっているのよ。

今、たまに空を見上げて、そのときと、全く同じ気持ちがすることがある。旅みたいな。

きっといつもいる人が同じじゃないからだなと思う。でも、今はあの街に実際住んでいるから、そんなふうに浮いたような気持ちで歩いていても知っているだれかにばったりと会うでしょ。ただちょっと会釈したり、ちょっと立ち話をするだけなんだけれど、そうするとほっとするの。

そしてなによりも、私の体の時間の中に、あの日のお父さんのつないだ手の感じが刻み込まれていて、同じように街にもそれが刻まれている気がするの。街が見ていてくれたから、消えない思い出だ、そんな気持ち。」

「そうか。」

新谷くんは言った。

「じゃあ、いったん離れて戻ってきても、同じなんだ。刻んだことは消えないんだ。」

「うん、多分私が記憶をなくしても消えないんだろうと思うのね。お父さんが死んでもね。場所ってこちらの思い入れがあるかぎり、そういう力があるんじゃないかなあ。思い入れたほうが死んでしまっても、なんとなく雰囲気がＣＤの細かい溝のような感じで刻まれているんじゃないかなあ。」

私は言った。

目黒の家は、私にとってそれなりにきつい思春期を過ごした場所でもあった。

あまりにも無邪気に私がお母さんのことを好きだと信じこんでいるお母さんがうっとうしくてしかたなく、触られるのもいやになったけれど我慢していた時期や、毎日定時に帰ってくるお父さんがいる家をとなりの芝生的にうらやましくてしかたなかった時期、そんなものが濃厚にみっちりとつまっている。自分の年齢と向き合うのがきつくてなんとなくグレーな気持ちで過ごした時間のほうが多い場所だというのも、まだほんとうにふるさとと思えない理由のひとつかもしれない。

もちろんいつか新谷くんと全く口もきかないくらい憎しみあって別れたら、下北沢の街もグレーに見えるだろう。みちよさんがもし青山に店を出すことにしたら、私はそちらに越していくだろう。全ては流れて変わっていくものなのだ。

都会にいるとわからなくなることのひとつに、個人の力の大きさというものがある。たとえば、大きなビルの中の大きな書店にだって、名物店員はいるだろうし、その人が別の支店に異動したら、やはりみんな淋しいだろう。でもお母さんがいつか言っていたように、テンポよくすぐに新しい人がやってきて、書店は変わらずに営まれていくだろう。都会の人は、そういうことにこそ安心するのだろうと思う。自分がいなくなっても世界は変わらないし、会社はつぶれないし、街は動いているって。

でも、それではどこか満足できないのも、人間というものだ。

私は、最近になって、特にお父さんを亡くして彼のバンドがいったん解散してからだと思うけれど、個人の力について考えるようになった。替えがきかず、その人がいなくなったら終わるということについて。かなり長いスパンだけれど、いつか必ず終わるということについて。だから今を味わいたいという実感がわいてくることについて。

理屈で「今は一度しかない」なんて言われても全然ピンとこないのに、だれかが街から消えると、昨日までのかけがえのない日々を慈しみたくなる。人間はそのくらいの規模でしか実感できないようにできているんだと思う。地球がなくなることを思っても、それはそのときにならないとなあ、くらいなのに、下北沢がなくなると思うと、ぞくぞくとこわくなる。そんなものなのだろう。

いつもにぎわっているあの小さいタイ料理屋さんからみゆきさんがいなくなったら、窓辺でフライパンをふるあの細い腕がなくなったら、あの味は二度と再現されない。店の前の草木も枯れるだろう。ご主人のテッちゃんがもしもある日事故かなにかでぽっくり死んでしまったら、やはり味は淋しくしょんぼりとしたものに変わるだろう。夏の夕暮れにあのカラフルな店先からいい匂いとお料理を作る音が聞こえてくると、タイにほとんど行ったこともないのに、タイが懐かしいような気持ちになる。夕闇の中にしだいにあの店の黄色い明かりが浮かび上がってくると、どこかへ帰りたくなる。お店に入るとふたりの笑顔が迎えてくれて、初めて夕暮れの切なさが同じ分量の幸せに、錬金術のように変化する。そんなすごい魔法はたったふたりの人物が仲良くこの世にいることから創りだされているのだ。

あの古本屋さんからはっちゃんがいなくなったら、みなあの店の前を通って彼が元気かどうか確かめるためにのぞきこむこともなくなるだろう。なんとなく落ち着かないものたちが積まれている木の床も、いつも不思議な絵が飾られているギャラリーも、店主のおうちのようだから、淋しい気持ちの人たちがみなふと寄りたくなるのだろう。

えりちゃんが毎日心をこめて世話しなかったら、あのお店の亀はきっとすぐに死んでしまうだろうし、きゅうすもお茶碗もくすんで死んだようになるだろう。

レ・リヤンもそうなのだ。もしもみちよさんがだれてきとうに料理をするようになったら、すぐにあの名物サラダもあの器用な手でふわっと盛りつけられることはなく、水分でべたべたになり、お店ももっさりと汚れた古い雰囲気になってしまうだろう。

もしもお母さんの行きつけのバーのちづるさんがお店を辞めてしまったら、行き場をなくした中年たちの憂鬱のため息で街は暗くなるだろう。

なんということだ、そんなふうに人々の個性でなにもかもが成り立っているなんて。知りたくなかった、そんなこわいことは。

それは自分の責任の大きさを知るということでもあった。長く働けば、いつか必ず私の笑顔を求めて大勢の人がやってくることになる。家族でもないのに、家族のようにあてにされることになる。みちよさんの味と私の接客をセットで求めてやってくるようになる。

その壮大さにめまいがした。そんなすごいことにみんなよく気づかないふりをしていられるなあと思った。

晩ご飯の前に、CDを借りるためにちょっと新谷くんの家に寄ることになった。

それはつまり…関係を深めてもいいという合図をしたということだろう。

私たちはもうけっこう長い時間いっしょにいるので、しょっちゅうなんとなく腕を組んだり、手をつないだりしていて、お互いの雰囲気がしっくりとなじんできていた。あまりにも自然に自分が彼の部屋の前に立っていたので、驚いたほどだ。

新谷くんも少し緊張しているのかな、と思ったけれど、さすが自分の家なのでなんのためらいもためらいも質問もなく、ささっと鍵をあけた。

まずはじめにチボリの、木でできたかわいいオーディオが見えた。もっと大きなスピーカーやステレオセットがあるのかと思った、と言ったら、部屋がせまいから、と新谷くんは笑った。

普通よりも広めの1LDKではあったが、思いのほか簡素な暮らしであった。フローリングの床はきれいに磨かれていて、ほこりやカビの匂いは一切しなかった。キッチンはしっかり使われている感じで、お鍋もぴかぴかではなく、多分自炊をしているのだろうと思えた。ちょうどよく生活の感じがある。窓辺にはノリナの鉢植えがあり、不思議なシルエットを映しながら葉をたらしていた。

久しぶりに男の人の家に来たなあ、と思った。この独特の気持ちはなんだろう。ここは私の家ではない。距離感のある人の家だ、そういうよそよそしい感じだ。それでも今はここで私がいちばん求められている安心感もある。この感じにいつまでたっても慣れることはない。

「お茶？　コーヒー？」

新谷くんは言った。

「コーヒーいただけますか？」

と言ったら、新谷くんはモルディブの袋を出した。それでいっそうくつろいだ気持ちになった。コーヒーメーカーを扱う手つきが鮮やかだった。

「いい動きだなあ、お店にスカウトしたいなあ。」

私は言った。

新谷くんは笑って、

「もうひとり増えたらなんとなく給料が安くなりそうだし、君がよく働いてるからやることもなさそうだからいいです。」

と言った。

あの街、あのお店が私たちの間にしっくりと入っている。それがなによりも心地よかった。私はただぼうっと暮らしていただけなのに、この人とちゃんといたんだ、毎日ちょうどよくなにかが育っていたんだ、という感覚だった。

女友達の部屋にいるみたいに、くつろいでおいしいコーヒーをゆっくりと飲んだ。

そして新谷くんがいろいろなおすすめCDを棚から出して貸してくれた。いくつかは私も好きになりそうなものだったが、このあいだ新谷くんのライブハウスでライブをやったという人たち、新谷くんの一押しのバンドの音をかけてもらったときは、正直に「うーん」と思った。耳だけは肥えている私に、その若者たちの演奏は薄すぎた。そして歌い方や歌詞が子供っぽすぎた。でも新谷くんが彼らは売れると思うと嬉しそうなので、言えなくて、ただしんみりと聴いているふりをしていた。

よく考えてみると、言いたいことを言いながら男の子とつきあったことはないなあ、と私は思った。私が特に言わなくていいかなと思って黙っているところに、勝手に誤解が入りこんでいいふうになっていくことがほとんどだった。それが若さというものなのかもしれないけれど。

棚の上には幼い頃の新谷くんと家族の写真があった。背景は御神輿《おみこし》や屋台や……にぎやかなお祭りだった。

「どこのお祭り？」

私は言った。

「諏方《すわ》神社だよ。有名なおせんべいやさんの近くの道を入っていくと高台に神社があって、大きなお祭りがあるんだよね。お祭りのときはおふくろと毎日行ったし、夜になるとおやじも帰ってきてみんなで夜遅くまで遊んだんだ。あの辺でもかなりにぎやかなお祭りなんじゃないかなあ。あの神社の裏手から街を見下ろす景色を今でも夢に見ることがある。有名な根津神社のお祭りよりも、好きなお祭りだったかもしれないな。」

新谷くんは言った。

「その頃は、家族三人、仲良かったの？」

私は言った。うちみたいに？　と思った。写真の中の新谷くんは両親にはさまれてお父さんの腕にすっぽりと抱かれ、王子様みたいに大事にされている感じだった。

「私たち、ふたりとも一人っ子なんだね。」

「そうだね、きっと一人っ子だから、自分たちが手を離れたら家族もそれぞれ独立したみたいになったんじゃないだろうか。君の家のことは、独立では片づけられないけれど、うちはそういう感じがしたなあ。でも、なにもない人生なんてないよ。うちにあった変化は比較的自然な流れだったと思うし。」

　新谷くんは言った。

「僕が小さい頃は、家族はとにかく仲良かったよ。下町だし、外で飲んだり食べたりしても安かったし、よく家族で外食したなあ。とんかつとか、中華とか、なんていうことないものだったけれど。この神社から坂を下っていくと商店街があって、いつも活気があって、おそうざいをいくらでも買えたんだ。夕方になるとおふくろと手をつないで坂を下っていった。階段の上から見る商店街のにぎわいはいつでもお祭りのようだった。」

　新谷くんは言った。

　あなたの思い出や、小さい頃に行った商店街とか、そういう話を聞くのはわるくない。でも、わるくない、よい雰囲気だくらいの気持ちにしかなれない。今はもう濃いことを増やさないでほしい。私があなたのお母さんに会うことなんてきっとないんじゃないかな、なぜか私は絶望的な気持ちでそう思っていた。きっとこれから私たちは寝るだろう、でもそれがどうしたんだ、なにになるんだ、そう思った。

　私たちは若すぎて、これからいろいろなことがありすぎる。こんなに静かでいられるわけがない。私たちの家族を襲ったいろいろなことのように、きっと私たちのこんな淡い、雰囲気がいいだけの恋は嵐にあったら一発で吹き飛ばされてしまうよ、そう思ってしまった。

だからいいよ、家族とか、思い出とか、そんな先につながる話はやめようよ、そのくらい目の前が暗くなってしまった。普通そんなことを思う私ではないのに、なにもかもが遠すぎて面倒くさすぎて健全すぎた。

でも、そう思っていたら、さっきまで「なんだこりゃ」と思っていた、新谷くんの好きなバンドの人たちの音楽が急に美しく聞こえてきて、そのメロディが甘く優しく私を包んだ。彼らの歌う青春の切なさや出口のないように思える恋の苦しみが突然に胸にしみてきて、びっくりした。ほんとうだ、才能がある人たちなんだ、売れるかもしれない、ほんとうだ、新谷くんは私とは別の角度から音楽というものをちゃんととらえているんだ。

一瞬感じた新谷くんに対する失望は、その楽曲のすばらしさの中に溶けていった。ヴォーカルのくせのある声もこれ以上はなく優しく、いじけた考えに沈む私の耳にしみこんできた。

その沈黙を誤解したのか、新谷くんが私を急に抱き寄せた。

私たちの初めてのキスはそんなちぐはぐな感情でふちどられていたが、ああ、新谷くんも男の子なんだね、とはじめて思った。お互いの体の反応がわかったからだ。なんだかんだ言って恋愛中だし、欲は生きているんだな、私の心は死んだようでもやっぱり体は生々しく異性を求めているんだなあと。

　キスのあと、新谷くんはじっと黙って私を抱いていた。心臓の音が聞こえてきた。ここに人がいるんだ、確かにいる、そう思った。それから一瞬死体のことを思い出した。あ、こりゃもうだめだ、完全に死んでる、そう思ったっけ。

だめだ、まだ恋愛なんてできないよ、そう思って涙が出そうな矢先のことだった。

「今日はここまでにしよう。君にはまだ恋愛とか無理だと思う。」

　新谷くんが言った。

「なんか、そう言われると、それはそれでくやしい気がする。」

　私は笑いながら顔をあげたが、涙が、とてもみっともなくちっとも美しい感じではなく、ぼたぼたとこぼれたし、表情もものすごく変だったと思う。

「別に待つ気もないんだけど。僕だって男だし。でも、急ぐことない。街や店は逃げないし、君もいなくならないし。」

　でも、優しい目で新谷くんは言った。

「ものすごく淡白だとか？」

　私は言った。

「いや、獣《けだもの》だけど。よく性欲が強すぎるって言われるけど。」

新谷くんは笑った。大人の男の笑顔だった。もしかして冗談じゃないのかもしれないなと私は思った。

「こんど泊まりにおいでよ。」

新谷くんはまた私をぎゅっと抱いて言った。背中にある手がいやらしくはりついていたのに、いやではなかった。

「うん。」

私は言った。

「だって別に誰かにレイプされたとかでもないし、私は大丈夫よ。」

「いや、それよりもっとひどいことを君とお母さんはされたんじゃないかな。うらんでもいいくらいに。」

新谷くんは冷静に言った。その理解がありがたかった。

「もう充分うらんでるよ。この平凡な人生で、こんなに人をうとましく思ったことはないもの。あの女のことを考えると、目の前が真っ暗になるの。」

私は言った。

「もっともっとうらんでもいいくらいだよ。君はいい人すぎるんだ。」

新谷くんは言った。

そうなのかな、と私は思った。

もちろんたまらなく憎いときもあるが、その女の人だっていろいろあったんだろうと私は少し客観的に思えるところにたどりついていた。カップルの話はみんな責任が双方にある。お父さんだけが被害者なのではない。だいたい自分のことじゃないから、なんでそんなことをしたくなったのかわからないし。一度未遂したら、味をしめちゃったのかな、くらいにしか理解できなかったし、する気もなかった。わかってたまるかと若い私の残酷な生命力が怒りにうずいていた。

新谷くんの家の近所のおいしい韓国料理屋さんでお座敷に座り、くつろいだ雰囲気の中ですばらしいチゲとキムチの盛り合わせとタン塩を食べながら、私は聞いてみた。

ふたりで食べるとどうしても私はおつまみばかり食べて、新谷くんは流れるようにたくさん食べていく、という感じになる。その段階で私はごちそうさまという感じだが、彼にとっては前菜であろう。万が一いっしょに暮らしたりしたら、いつかこの人が百貫デブになる日が来るのだろうか、などと考えてみるが、キスしたくらいでは全くリアリティがなかった。しかも自分でも恋をしているのかしていないのかあまりわからないくらいに自然にここに至っていた。

「あの、新谷くん。」

私は言った。

「なに？　もうカルビにいく？」

新谷くんはメニューを見ながらそんなことを普通に言うので面白かった。

これは強引さではなく、育ちの良さととるべきだろう。

「さっき、私にはまだとても恋愛は無理みたいなことを言っていたけれど、それって、あの、もしかして別れ話？　っていうかつきあってもいないっていうこと？」

私は言った。

「なんか、それって、他の女の人に聞かれたらなんとなくいやなことかもしれないけど、なぜよっちゃんだと全然いやじゃないんだろう？」

新谷くんは言った。

「知らないよ。」

私は言った。

「ね、なんでだろうね？」

新谷くんは真顔で言った。

「そんなつもりで言ったんじゃないよ。ただ、なんか違うなって、さっき思って。あ、そうじゃなくって、別れるとかじゃなくって。」

そして言ったあとで照れて赤くなっていて、かわいい感じだった。

「なんか、いきなり寝たら、君が僕のことを大嫌いになるような気が突然したの。さっき。」

「ならないと思うけれど。なにかあって別れても、新谷くんを嫌いになる気はしないから。ただ、今はなにごとにも激しい気持ちを持てないだけなの。」

私は言った。

「じゃあ、今度泊まりに来てよ。だってよっちゃんの家にはどう考えても泊まれないから。」

新谷くんは笑った。

なんでそんな恥ずかしいことをさらっと言えるのだろう、ああ、この人は日常の中にいつも普通に女性がいて、もててきた人なんだ。だからこういう全てに慣れているんだ。なんでそんな人とこのおぼこい私がいっしょにいるんだろう、と思い、私はしみじみと彼を見つめてしまった。

お店の中は家族連れが多く、経営しているのも家族で、厨房にはお母さんとお嫁さん、フロアにはお父さんとお兄ちゃんが大きな声ででも和やかにオーダーを確認しあっていた。このお店全体が大きな家のように夜道の中で温かかった。

その雰囲気の中で、私は過去の不幸をしばし忘れていた。

恋人らしき人がいて、お母さんとは仲良くて、仕事も一段階ステップアップしそうで、今私はもしかしてなかなかに幸せな状態になりつつあるのかもしれないな、とぼんやり思った。

肉を焼くおいしそうな匂いと、人々の普通の会話の響きと、日常のうさを一瞬忘れる時間帯の独特な開放感の中で、じわじわっとその感覚がこみあげてきたのだった。

「羊焼こうよ、ここの羊の肉、そんじょそこらのレストランよりもおいしいんだ。」

新谷くんは無邪気に言った。

「きっと私、うまく焼けると思う。毎日みちよさんの肉の焼き方をよーく見てるから。」

私は笑った。

とてもおいしい羊の肉を頼んで、いっしょに出てくるのを待って、いっしょうけんめい焼いて、無心においしく食べる。

その過程にたっぷりと含まれている幸せの雰囲気を、私の精神が食べている。楽しいという気持ちが久しぶりにわいてくるのを感じた。ありがとうと思った。新谷くん、私を見つけてくれてありがとう。あんなにも「だれも見ないで、そっとしておいて」という感じで暮らしていたのに。

お母さんもどんどん変化していた。

人前に出る仕事になって突然にしゃんとしたという感じだった。ある夜、久しぶりにお母さんがパックをしているのを見た。しかもそれは昔よくお母さんがしていた、かなりお高いゲランの保湿パックだった。

「すごいじゃない、お母さん、そのパックしてる顔、懐かしい。それ買ったの？」

と言ったら、

「違うわよ、目黒に行って取ってきたの。品質保持期限が切れる！　と思って、あわてて。」

とさらりと言った。

そうか、パックを取りに帰るなんてことができるようになったのか、と私は思った。

「なんだかやっと落ち着いてきて、この生活の中でもお肌に気をつかおうって思えるようになってきたわ。気分は学生でも、お肌は中年だもん。」

お母さんは笑った。

「いい傾向じゃない？」

私は言った。

「昨日なんて、大枚はたいて、エステに行っちゃった。この並びのトモズの三階の、マダムが行くようなすてきなところ。」

「すごい、お母さん、昔みたい。」

「それで、機械でミラクル小顔になっちゃった。ちょっと顔小さくなってない？」

お母さんは誇らしげだった。

「言われてみると、なんとなくあごがひきしまったような。」

私は言った。確かに、放りっぱなしではない風情が感じられた。

「でしょ？」

お母さんは笑った。

「節約しながらも、半年に一回くらいはそういうこともしないとね。」

「なんか、いいんじゃない？　バイトしているのはいいよ、きっと。」

私は言った。

「あのお店の人たちみんないい人だし、忙しいときも、お店に来る人の方が待ってくれるし。もちろん仕事だからいやな人だって来るけど、えりちゃんがいつでもしっかりしてるから、落ち着いて働けるんだよね。バイトの人もみんな長く働いてる人ばかりだし、オーナーさんもものすごくいい人なの。」

お母さんは言った。

お母さんはお父さんの話をしないけれど、ふっきれているわけではない、それはわかっている。それでも立ち上がっていくたくましい力の強さに驚いていた。私がなにかと泣いたりうじうじしたりしている時間を、もっと思いきりよく使っている気がする。それが親と夫の違いなのかもしれないな、と思った。

それからしばらくしたある夜、私がおやすみでたまたま家にいた夜、お母さんが帰宅して突然「霧みたいな蒸気が出てくる美顔の器械を目黒に取りにいく」と言い出したので、ほんとうに久しぶりにふたりでいっしょに実家に帰った。

人が住んでいない家はやはり淋しかった。

お父さんがどうとかいう以前に、鍵をあけてそのしんとした淋しさに触れたとたん、悪夢の中に潜っていくような気がした。玄関をあけると懐かしい家の匂いがしてきて、この家が生きていた頃の面影はある。でも、もう、なにもかもが止まってしまっていた。

お母さんはさっと上がって窓を開け電気をつけた。

私は自分の部屋だったところに行き、料理本や小説の本を何冊か持っていくことにした。

そして下北の部屋でためた本や夏服を少し整理して本棚やタンスに入れた。

その作業の間にも、なにかが私を追い立てている感じだった。

お父さんの幽霊が出てくれないかと何回もピアノのあたりをぱっと見てみたけれど、出てきてはくれない。気配もない。なにもかもががらんとしていた。

私、ほんとうにここで長いこと暮らしていたのだろうか？　手も足も目も、この部屋の全ての感触を覚えているし、匂いも、ドアノブまでの距離も、体がぶつからないように廊下を急ぐことも、電気を消したままでトイレに入ることとさえまでできるのに、それらがみんな奇妙に濃い陰影を帯びていて吐きそうなくらいに懐かしいのに、もうここは自分の場所ではなかった。思い出が何重にも塗り固められていて、今の空気が吸えないほど苦しかった。なにかを見るとそこには幾百もの思い出の映像のフィルターがかかっていて、ぐっと濃密に重なって見えてしまう。だめだ、棺桶の中にいるみたいだ、そう思った。ここでひとり暮らしているうちに息苦しくなり、私の部屋にやってきてしまったお母さんの気持ちがわかりすぎてしまう。

すっかり化粧品をカバンにつめたお母さんが部屋のドアのところに立って言った。

「ねえ、よっちゃん、久々にこっちでフレンチでも食べないって言おうと思っていたけど、なんか私、ここの思い出が多すぎて、苦しくなってきちゃった。ひとりで昼間さっと来たら全然そんなふうに思わなかったのに、いっしょに来てくれる人がいたら甘えが出て、ますます淋しいような、つらいような気がしてきたの。」

わかるよ、という思いをいっぱいに込めて、私はうなずいた。

「帰って、カレー食べない？」

お母さんは言った。

「大賛成！　今日やってた？」

私は笑った。私たちの間でカレーと言えば、もう決まっていた。ログハウスっぽい内装の小さい有名なお店で、うちから歩いて五分のところにある。

「うん、看板を確認した、さっき。やってたよ。よっちゃんなににする？」

お母さんは言った。

「私は今日はきのこにする。」

「私、野菜の辛口にする。大盛りにする。」

私もまじめに答えた。そうしたら気持ちが明るくなった。

「なんであのお店のカレーってあんなにおいしいんだろうね。そして決してごはんが余ることないもんね。ふんだんにルーがかけてあって、お皿からはみだしそうで、それだけで豊かな気持ちになるよね。また茄子がお店の名前に入ってるだけのことはあって、いつも甘くておいしいんだよね！」

お母さんはにっこりして言った。この家でお母さんの心からの笑顔を見るのは、どれだけぶりだろうか、と私は感慨を抱いた。この家の白い壁を背景にした笑顔、なんて懐かしいんだろう。

「じゃあさ、あっちで掃除してるから、終わったら声かけて。」

「うん。」

なんていうことのない会話だったけれど、それはお互いにとって平等に決定的な瞬間だった。全く予測のつかない、突然の気持ちだった。あっちに帰りたい、あの角を曲がってあのお店に行きたい。看板が角に出ているといつもほっとする、あの気持ちになりたい。木のドアをあけて、あの落ち着いて小さな、ともだちの部屋みたいなお店に入って、おいしいカレーを作る寡黙なご夫婦や不器用で誠実な接客の店員さんたちを見てほっとしたい。

そう思うなんて、と、きっとお互いに内心びっくりしていた。そして相手はもしかしたら昔住んでいたこのへんで懐かしい店に行きたいのではないかと、遠慮し合っていたのに、全く同じ気持ちだったなんて。

今住んでいるところの話をしたことで、時間が私たちの手のうちに戻ってきたのが手に取るようにわかった。重かった空気がさっと明るくなった。その瞬間が、私たちがこの家を離れようとほんとうに決めた瞬間だったのだと思う。もう未練はない。ここですることはない、私たちははっきりとそう感じていた。

荷物を持って、そそくさと帰るとき、私が靴をはいていたら、お母さんはふっと思い立ったように言った。

「ねえ、すっごくいやだと思うけど。」

私は、うなずいて答えた。なんでだか、わかったのだ。私も同じことを思っていたのだ。

「お父さんの写真でしょ、いいよ。持っていこう。」

「なんでわかったの？」

お母さんは目を丸くした。

「そのほうがいいと私も思ったから。」

私は言った。

お母さんはうなずいて、部屋の奥へと入っていった。

そして、アンプのところにあったお父さんの写真が入った額縁を抱えてきた。

「あっちで、毎日お花をあげよう、負けるもんですか。」

お母さんは言った。

「うん、そうしよう。」

私は言った。

家族三人の写真は、今だって私の部屋のＴＶの上に飾ってある。でも、お父さんだけの写真は今、初めて、私とお母さんの部屋にやってくる、そういうことだった。

「そうだよ、負けるものか。かなり負けてるけど、すでに。とりかえしがつかないくらい。」

私は言った。

あんた、なんでそんなおもしろおかしいことがとっさに言えるの？　とお母さんはけっこう本気で笑い、ドアを閉めた。鍵をかけて、そして私たちが住んでいた家を、多分もう住むことがない家をほんとうに後にした。もちろんまだ何回も来ると思うけれど、このときがほんとうにさよならのときだと、後から振り返ったら思うのだろう。

おいしいカレーを食べた帰りに近くの小さなお花屋さんで、なじみのはきはきしたお姉さんから笑顔といっしょに手渡された花束を、茶沢通りの骨董屋さんで買った昭和の牛乳瓶に入れて、お父さんの遺影といっしょに飾った。そしてアロマポットにオイルを入れてから、ろうそくを灯した。ろうそくの小さな光がゆらゆらと壁に映り、ラベンダーのいい香りが部屋に満ちた。

なにもかもここのものに囲まれたお父さんの写真を見て、お父さんの下北への引っ越しも終わった気がした。

なにかが終わった、落ち着いた…そう思った。

「ねえ、お母さん、急にとは言わないけど、あそこの家、売る？　貸す？」

私は言った。

幻冬舎文庫
心を運ぶ名作100。
ひと夏の経験
最新刊
三根梓

「うーん、貸す方向かな。」

　お母さんは言った。

「私のサンフランシスコの親友が帰ってくるのが多分一年後くらいで、そのときにもしかしたら、彼らに売るか貸すかもしれない。事情を知ってるから、家具もいくつかそのままにしてもらって、高く借りてもいいよって言ってくれてるの。裕福な彼女としてはそのくらいしかできることがないし、どうせ目黒区で探しているからって。それまでに少しずつ片付けたり、まあ、もしかしたらよっちゃんのところ以外に下北で部屋を探したり？　まだ具体的には考えられないけど、そんな感じに思っているんだけど。」

「ああ、それはいい流れだね。それなら悲しくないし。お父さんも。」

　私は言った。

「大丈夫よ、お父さんは今日こちらに連れてきたから。許せない部分だけはとりあえずわきに置いといて、お父さんの魂の本筋のところは、もうここにあるから。」

　お母さんは言った。

　奥さんであったお母さんに確信を持ってそう言われると、ほんとうにそうなのかもしれないと思えた。

そしてまた、電話の夢を見た。

あの目黒の家が、がらんどうになっていた。

壁の傷以外は、なんの思い出もない。ピアノもない。窓からの光が四角く床に映っている。

私は呆然《ぼうぜん》と立っていた。もう引っ越し終わってしまったのか、と思っていた。早いなあ、あっという間だなあ。でも、私ってどこにいるんだっけ？　私の荷物はどうしたんだろう。

まだ決まってないんだっけ？

そんなふうにぼんやりと思っていた。

そうしたら、電話が鳴った。バッグの中から取り出して、出てみる。

「もしもし？」

私は言った。

「もしもし。」

お父さんは言った。

「大丈夫、お父さんの写真はもう下北沢だよ。」

私は言った。涙がぼたぼたっと落ちた。

「お父さん、お父さん、私たちを嫌ってないよね？」

私は言った。返事は返ってこなかった。

私は泣けて泣けてたまらなくなって、立っていられなくなり、床に手をついた。幼い頃よく寝転んだ居間の床。もうすぐ新しいじゅうたんが入り、知らない家具が入ってくるのだろう。

「会いたいよ。なんで電話なの？」

私は言った。

他に言うことがあるだろう、ともうひとりの私は突っ込んでいた。でも、夢の中の自分とは常にむきだしで愚かなものなのだ。電話の向こうには決して私たちを嫌っていない、お父さんのいつも通りの静かな気配があった。

そうか、お父さんは、電話をかけたかったんだ。死ぬとき、お父さんは電話をかけたくてしかたなかったんだ、私はそう思った。間違いないと思えた。

はっと目が覚めたとき、真夜中の部屋で私はがばっと起き上がった。

まだエッセンシャルオイルの香りがあたりに漂っていて、ろうそくは燃え続けていた。そこにはお父さんの写真があった。笑っているお父さん。この写真を撮った頃だってもしかしたら彼女といたかもしれないけれど、とにかくまだ私たちと暮らしていた頃のお父さん。

そうか、このいい香りやお花の彩りがきっと道になって夢が開いたんだ…と私はわけのわからないことを寝ぼけた頭で思った。お父さんはもう大丈夫だろう、と勝手に安心した。どうしてだかわからないが、タイミングがとても大事だった。今日でなかったらだめだったのだ、きっと。

横を見ると、お母さんがすうすう寝ていた。いつかお母さんも私もこの世からいなくなってしまう。でも、今はここにいて、すうすうと寝ている。口を半開きにして、夢の世界を旅している。私にはまだ残っている大事な人が確かにいる。

ほっとして私はもう一回横になった。寝ぼけていたので電話が近くにある気がしてちょっと探したりしながら、そのまま深い眠りに入っていった。

こわいことはやっと少しだけ去っていった、これからは安心して暮らせる、そんな気持ちがじわっと私を包んでいた。羽毛ふとんの中も外も、柔らかいぬくもりでいっぱいだった。

そう、こわいことは、お父さんがさまよっていることだけではなかった。お母さんが心の中でお父さんを完全に捨ててしまうこと、それがいちばんこわかったのだ、ということがはっきりとわかった。

あのおばさんが、今度はひとりでもう一回店に来たのは、それからしばらくしてのことだった。

ランチの忙しいときだったので、私はいやな顔をしないように必死でがんばった。やっと少し気持ちが落ち着いて、お父さんの夢も見なくなったのにどうして思い出させるんだろう、茨城という土地があったことさえ忘れてしまいたい、そう思っていたくらいだったのに。

「ごめんなさいね、私が来たら気分が悪いでしょう。」

おばさんは言って、申し訳なさそうにランチを頼んだ。

いくらほんとうはあまり気分が良くないと言ったって、この人はうちのお父さんを思ってくれているわけだし、他に用事があるといってもここまで足を運んでくれているのだからと思い、私はにっこりとしてランチを運んだ。おばさんの食べ方は感じがよかった。ちゃんと味を楽しんでくれている様子だった。ついでで来たからいやいや食べているというふうには少しも見えなかった。

食べているときの姿を見れば心情がみんな伝わってくる。どんなに気取って作っていても、マナーを練習していても、毎日人が食べているのをただ見ている私のような人の目はごまかせない。

それに、この人がお墓参りしてくれたことも、遠いところでは私たちの気持ちが軽くなったのに一役買っている可能性があるのかもしれない、と思った。世の中って思いもよらないところでめぐりめぐっているから。

最後にコーヒーを出すとき、思い切って私から言ってみた。

「先日は、お墓参りをしてくださって、ありがとうございました。私と母はなかなか行けないので、ありがたく思います。」

おばさんは緊張していた顔をふっとほどいて、ほっとしたように笑った。

私に本気でいやがられると思っていたのだと思う。私ももっといやと思うと自分で思っていたのに、おばさんのまじめそうな目を見たら、その悪気のなさにこちらの心までほどけてしまった。

「私もいろいろあったもので、そのままにできなくて。思い出させてごめんなさいね。あの…」

そう言いながら、おばさんは大きなリュックの中から小さな布袋を取り出した。その中にはさらに、きれいな刺し子の布袋が入っていた。

「これ、私の知っている人からいただいてきたんだけれど。」

「なんですか？」

そういったことに詳しくないのでさっぱりわからないから、あてずっぽうに言ってみた。

「お塩ですか？」

おばさんはうなずいた。当たった、と私は思った。

「そうなの。その人は私の知っている人の中でもかなり霊能力の高い人で、今回のことでもたくさん助けてもらったから、相談してみたんだけれどね。気休めかもしれないけれど、いつかお墓参りとか、亡くなった場所に行くときとかでも持っていってみてくださいね。」

おばさんはにこっとして言った。

行かないよ、と私は思ったけれど、口には出さなかった。

この人はつまり、だんなさんを寝取られて、殺されかけて、離婚して、しかもそのあとに元だんなさんが死んじゃったわけで、かなりたいへんな体験をしたと言えると思う。いくらそのあとに安定して幸せになっているからといって、見たこともない人のためにおせっかいといえるくらい親切にこんなことができるなんてすごいなあ、と私は素直に尊敬の念を抱いていたのだ。

それこそ塩をまかれて追い返される可能性も大なのに。

「なんでこんなことをしているかと言うとね。」

おばさんは私の気持ちを察したかのように言った。

「あなたたちの気持ちが、ほんとうにはわからないけれど、この世の誰よりも近しくわかるような気がするからです。底のほうでつながっているような気がね。人を憎みたくないけど憎んでしまうような。人のせいにしたくないけどしちゃうような。軽く考えたいけどよどんでしまうような。」

その通りではあったので私は黙ってうなずき、そしてたずねた。

「私、そういう、見えないもののことがわかる人に観てもらったことはないんですけれど、その方は、このことをなんて言っていたんですか？」

おばさんは目を伏せた。

でも、意を決したように私を見て、言った。

「『その女性は、寝れば寝るほど、人の奥にある死へのあこがれをひきだしてくる』って言っていたよ。」

私は胸になにかがぐさっとささったような気持ちになった。

それを考えるたびに、お父さんがまたひとつ遠くへ行ってしまう。

「その女性はいっしょに死ぬ人を探していただけで、もうとっくにこの世の人ではなかったって。かわいそうに思ってあげる必要はない、でも憎む必要もない。それぞれの問題なんだってその人は言った。でも、そこまでは悟れないよね。」

少し変わった発音で彼女は言った。私は、ふと、死んだあの女の人もこういう発音だったのだろうか、と思って、ぞっとした。

「でも、残った人は生きていくから。」

そのとき、他のテーブルから声がかかったので、私は行かなくてはならなくなった。

「はい。ありがとうございます。大切にします、いつかお父さんの死んだ場所に行くときがきたら、そこにまきます。」

私は言って、そのお塩の入ったきれいな布袋を受け取った。

コーヒーをゆっくりと飲んで、その人は笑顔で出ていった。丸い背中とがっちりしたふくらはぎの、どこにでもいるような服装をした、ひとりの中年女性。

多分もう会うことのない人、でも生涯わかちがたく結ばれてしまった人。

人生っていったいなんなんだ。

すごく不思議な感じだった。


なにかが重なるときっていうのは、重なるものだと思う。そしてそれには必ず私の無意識から立ち上ってくる泡のような、なにかしら意味のある理由が潜んでいるに違いない。

あれから私と新谷くんの距離はぐっと近くなった。お互いに気にしていたことを言い合ってしまったことで安心したのかもしれない。私は自分があまりにも控えめな新谷くんを少しあなどっていたことを悪かったと素直に反省していた。彼は思っていたよりもずっと大人だったし、私のことをまじめに考えてくれてもいた。

正直に言うと、私は新谷くんが「お父さんに死なれたかわいそうな女」として私に興味を持ったことに心の奥のどこかで怒りさえ感じていた。でも、そうではなかったということがじょじょにわかってきた。もっと彼はわかっていて、その上で私にひきつけられたということが。

それで彼に対する私の傲慢《ごうまん》な気持ちは消えたのだった。

まだ彼の家に泊まりに行ってもいないし、高校生のように道ばたやエレベーターの中で耐えきれずに求めあってキスしたりすることはない。でも歩いているときも座っているときも、さりげなく手を握り合ったり、なんとなくくっついていたりすることが多くなった。

いつものようにお店が終わるときに彼がこのカウンターに座るのも、あと少しなんだなと思いながら、私はその日も仕事をあがっていっしょに店を出た。

レ・リヤンは少しずつ終わりの準備に入っていた。

みちよさんがある日棚を整理しながら、

「そうか、夏のかき氷をこの場所で出すことは二度とはないんだねえ。」

とつぶやいた。

私も切なくなった。あの夏が最低の夏だったからこそ、思い出の中のサラダのみずみずしさやかき氷の冷たさが今でも生々しくよみがえってくる。命をもらっているような味だった。

いや、でもいつかほんとうに終わる日が来るとはいえ、今はただ区切りがくるだけだ、みちよさんと私も続いていくし、お店も再開するだろうし、悲しんでいる場合じゃないとみちよさんと言い合いながら、その日もお店をきれいに掃除して、後にした。

最後の日でもないのに、しんみりした気持ちになったね、とみちよさんが別れ際に鍵を閉めながら言った。

どうしてだろう、どうせ壊されてしまう建物なのに、私はいっそう掃除を熱心にするようになってきた。床をもっと磨きたい。窓をもっときれいにしたい。尊敬している人に対する気持ちに似ていた。この掃除が人生ただ一回きりの掃除であるような気持ちだった。

これと同じ気持ちをお父さんにも持てればいいのにと思うくらいだった。お父さんに関しては、もうどうせいないんだ、と捨て鉢になってしまうことのほうがずっと多い。

新谷くんはちづるさんの店で待っていてくれた。今日はどうしてもそこのメニューにある黒ビールの「ひぐま濃い」というのが飲みたかったそうで、地下に降りていくと大きな音でかかる七〇年代ロックの向こうに、なぜか新谷くんとお母さんがテーブルで向かい合っているのが見えた。

そのお店は手作りのガラスでできた、全体がモザイクのような、ガウディが酔っぱらって創ったみたいな感じの面白い店だった。天井からは大きなトカゲが見下ろしている。アステカのような、スペインのような、なんとも言えない内装にうろやでっぱりをそのまま生かした大きな木のテーブルがいくつもある。音楽はいつも大きな音でかかっているが、心地よい雰囲気の昔ながらのお店だ。

しかし、その夜ばかりは私は店の内装にも、どんなお客さんがいるのかにも、目がいかなかった。見慣れたふたりが向き合っている、それにただただぎょっとした。

そうか、そういえばここはお母さんの行きつけの店でもあるから、こういうことが起きてもおかしくはなかったんだ、と必死で平静を装い、笑顔で近づいていった。

「あ、よっちゃん。新谷くんっていい人だね。」

お母さんは言った。

「なんでふたりでしみじみ飲んでるの？」

立ち仕事で足がむくんで痛かったので、なんとなく不機嫌な声になってしまった。自分がこんなに子供っぽいとは思わなかった。それにいちばんショックだったのは、自分がそのふたりがいっしょにいる風景を見て、無条件に嬉しいという気持ちがいちばんはじめに飛び込んでこなかったことだった。「まずい」と反射的に思ったのが不思議だった。

「ごめん、ばったりお会いして、つい話し込んでしまって。」

新谷くんが本気でばつが悪そうに答えた。

「いいよ、だってありうることだもの。」

私は笑った。お店の人が来たので、あえてお母さんのとなりに座りながら、

「北狐レッドとスナップエンドウください。」

となじみのものを注文して、コートを脱いだ。

深夜までやっているこの店にはひとりでふっと来ることもあったし、お母さんと夜食を食べがてら来ることもあったから、なんということはない。

「新谷くん、お話しできてよかったわ。」

とお母さんは言い、きゅっとカクテルを飲み干し、

「じゃあ、先に帰ってるね。デートの邪魔しちゃ悪いし。」

と言った。

お母さん引きぎわがかっこいい、と思いながら、私は言った。

「いいよ、いっしょに帰ろうよ。」

「いいえ、あとはお若い人たちで。観たいTVもあるんだ。実は今日の午後、はっちゃんに手伝ってもらって、目黒の家から大きなTV持ってきちゃったの。」

お母さんは笑った。

「あの狭いところに？」

　私は言った。

「前のＴＶはどうしたの？」

「あれを目黒に置いてきた。」

「勝手なことして〜。あれ、私が友達からもらったものなのに。」

「だって、お母さんもう老眼なんだもん。あんな小さいＴＶじゃだめだよ、しかもブラウン管なんだもの。まあ帰ってきてみなって。部屋がせまいから、なにを観てもすごい迫力でまるで映画館にいるみたいだよ。」

　お母さんは笑った。

「実はね、小さいほうのオーディオセットも持ってきちゃった。」

「もう、ますます狭くなるじゃない？　寝る場所あるの？」

　そう言いながらも、私は少しだけ嬉しかった。お母さんが、今を楽しもうとしている。少しずつ、前の部屋と今の部屋を混ぜはじめて、自分の過去を認めようとしている。お母さんは言った。

「部屋をあったためてお待ちしてます、あ、なんでしたら帰ってこなくてもいいわよ。」

「もう！」

と私が言ったのを無視して、お母さんはお会計をすませてしまった。私の分までだ。そして楽しそうに階段を上って行ってしまった。

「でもこれだけ行っているお店がかぶっていれば、そりゃあいつかは会うよね。」

と私は言って、やっとほっとしてお酒を飲みはじめた。

「すてきなお母さんだね。」

新谷くんは言った。

「いやあ、お恥ずかしいわ。夜中に飲んだくれていて、お母さん。きっと、帰るとその大きなTVとかオーディオで寝るところがなくなっているに違いないわ。」

私は笑った。

「そうそう、お母さんがいなくなってよかったかも、これ。」

新谷くんはカバンの中からなにか布に包まれたものを出した。

この感じ、知ってるなあ、最近味わった感じだなあと私は思っていた。

「お母さんには、ちょっと言い出せなかったな。」

「なに？」

私は言った。

新谷くんが包みを開くと、そこにはお札みたいなものが入っていた。

「また?」

とつい言ってしまった。

「なんでまたなの?」

新谷くんが言ったので、おばさんがお塩を持ってきたことを話した。

新谷くんはうなずいて、考え込んでしまった。

「前に話したでしょ、自殺した人がいて、お祓いしたって。そのときに、父親の知り合いの近所の神社の人を呼んだの。それで、君が茨城にいつか行くかもと言っていたので、その神社に行って、お札をもらってきたんだ。持ってるだけでも気分が変わるかなと思って。」

「新谷くんまで!」

私は思わずそう言ってしまった。

「いや、別になにをどうしたほうがいいっていうことではなくって、なんとなく、持っていると気が楽かなあと思って。ごめん、ほんとうによけいなお世話だとは思っているのに、なんか頼んでしまった。」

その言い方のトーンも全くおばさんと同じだったので、気味悪かった。

「ごめんね、変な言い方をして。」

私はあやまった。

「ありがとうね。」

新谷くんは恥ずかしそうに赤くなった。暗かったけれど、私にはそのかわいい様子がわかった。

私はそういう新谷くんをもっともっと好きになってきた。

なにが私を抑制させているのか、私にはもうわからなくなってきた。

ビールの味は、夜の底に沈んでいくような苦さだった。このままどこにいるのか、なにをしてきたのかわからなくなって新谷くんといっしょに彼の部屋に帰ってしまいたい、子供のようにそう思った。お父さんのことがまだあちこちに小骨のようにひっかかっているのは確かだが、お母さんの変化が私に反映して、私の内面も少しずつ変わってきている。

もしもこのまま新谷くんとどんどん親しくなって、離れがたくなって、ここで毎日はそのままに過ぎていって、いろいろなことがあって、ケンカしたり泣いたりして、私はフランスに行って、帰ってきて、また働いて、日々を重ね、いつかたとえばいっしょに住んだり結婚したりして、子供が生まれて…とは言っても、未来のことなんかわからないし、この店から出たとたんに車にひかれて死んじゃうかもしれないし、パリでどこかのだれかと出会い、大恋愛をしてもう帰ってこないかもしれない。新谷くんは明日の夜出勤したら突然にものすごい美人に迫られ、別れようとあやまってくるかもしれない。だから悔いなくなんでもやったほうがいいのかもしれない。それはきっとそうなのだろう。

それでも、もしこのまま深まっていったら、なにかが単純すぎる、そんなわけのわからないものが私の中にとどこおっているのを感じていた。それはお父さんに関係のあることで、私がこのまま進んでいったら、なかったことにしてしまいそうなものだった。

このまますんなり進んだら、なにもかもがまっすぐで陽の光の中にあって、だれにも恥ずかしくない人生になって、だから見ないことにして押し込めていかなくてはいけない暗いものがきっとあるに違いない、なにかがずれていってしまうに違いない、そういうもやもやした感じだった。

そしてそのずれが奥底のほうでだんだん大きくなってくすんでいったものこそ、お父さんが死に至った理由のミニチュア版だと思った。

でももうそういうことをわかってしまうことにも、疲れていた。めんどうくさいから、したいことをしたい、今すぐにもたれかかり、くっついて目を閉じてしまいたい、そんな気持ちもある。でもそれを実行する普通の自分と奥底の自分の間に、まだ一枚だけ膜があるのだ。

この膜があるままに行動すると、後で必ずしっぺ返しが来ると、私の本能は語っていた。

どうしてなんだろう、でもそうだったのだ。用心深いわけでもないし、考えすぎているわけでもない。ただ自然にその膜が見えた。

まだこのままでいたいのかもしれないな、いてもまだ大丈夫だな、失うなんて考えたくないし、新谷くんは去っていかない、そうでありますように、まだ待っていてくれますように、と私は新谷くんからもらったお札の表面をそっと撫《な》でながら思った。

でもなにを待ってほしいのかさえ、わからなかった。


部屋に帰ると、おんぼろい和室に立派な液晶ＴＶがどかんと置いてあり、映画館のスクリーン前にいる人みたいに、お母さんの顔がものすごくよく照らされていた。

「ただいま。」

私は言った。

「すごい存在感だね、そのＴＶ。」

「な〜んだ、帰ってきたんだ。」

お母さんは言った。

「帰ってきちゃ悪いの？」

私は言った。

「ううん、ちょっと嬉しい。この豪華な部屋の様子をちょっと見せたかった。」

お母さんは素直に言った。

私がハーブティーをいれていると、お母さんが言った。

「あの彼氏、なかなかいいじゃん。」

「うん、頭もいいし、音楽の趣味は違うけれどすごくセンスがいいし、品もいいし、すっとんきょうなところもあるし、とにかくいい人だよ。あのさ、新宿のライブハウスの店長なんだよね、聞いた？」

私は言った。

「うん、聞いた。懐かしいよ。」

お母さんは言った。

「あの匂いも、大きな音も、ペラペラのカップに入った濃すぎてまずいジントニックも。あの頃はなんだかいやだと思っていたのに。そして妻にはお金持ちのマダムを要求して、自分は若い男の子みたいにライブを楽しんでいるお父さんをうとましくさえ思った。今だったら、この服装で行って踊りまくって楽しんでくるのにな。私も、若かったんだね、あの頃。若くてまじめだったんだ。お父さんが浮わついて見える仕事をしてるぶん、自分は大人っぽくいなくちゃと思ってたんだろうね。」

私は静かにうなずいた。そして、

「ところでお母さん、なにを観てるの？」

と、さっきから思ったことをたずねた。

その映画を私は観たことがあったかもしれないけれど、あまりにも昔ですっかり忘れてしまっていた。薬師丸ひろ子と、松田優作…。

「『探偵物語』だよ。このあいだレディジェーンの前を通ったら、なんとなく松田優作の姿が観たくなって、買って観ていたの。いい映画だよね。ふたりともすばらしい演技だよね。私、この映画大好き、ほんとうに好きなの。ああ、どうして松田優作が生きてるあいだにこの街に越してこなかったんだろ。そうしたら夜中の道でばったり会ったかもしれないのに。そうしたら私、彼に何をするかわからないわ。」

お母さんは言った。

「そういえば、私、これ小さいときお父さんと映画館に観にいったよ。」

私は言った。

「子供すぎて全然わからなかったけど。」

「そうそう、お父さんって松田優作が好きだったんだよね。憧れてたんじゃない？」

お母さんは、お父さんが生きていた頃みたいに淡々と言った。

なんだかここにもヒントがある気がする、そう思った。

映画は最後のキスシーンだけに向かって、こもった熱を持ってただ進んでいくのだ。

私はまだまだ全然だめなのだ、ひよっこなのだ、ということがよくよくわかったのは、みちよさんがインフルエンザになったときのことだった。ある夜、

「どうも熱が出てきたみたい、あんまり私に近づかないほうがいいよ。」

とみちよさんが言い出して、

「最悪の場合のために、ランチをクスクスとカレーだけにしておいて、準備しておこう。」

ともくもくと、苦しそうに煮込みものの したくを始めた。できるかぎり手伝いはしたが、つらそうな様子を見ると、自分はまだまだ半人前だと感じずにはおれなかった。

「森山さんがつかまれば、少なくとも明日はあけられます。」

私は言った。

「うん、そうだね、明日のことは明日考えよう。」

みちよさんは言った。

しっかりと仕込みを終えてみちよさんは帰っていき、私はランチに備えて早く寝たのだが、
翌日はたいへんだった。

森山さんは予定が入っていたのでそれを終えてからお昼の直前にかけつけてくれたのだが、その前にものすごい混雑の時間があり、私ひとりなのに満席になってしまった。

クスクスとカレーだけだというのに、私が働きはじめてから初めて、お客さんを待ち疲れさせてしまったのだった。

そういうときに限ってものすごく混むのはよくあることだとしても、掃除もきちんとできていないテーブルにうっかりお客さんを通してしまってあわててダスターでふいたり、盛りつけが完璧でないまま運んでしまったりした。だんだんパニック状態になってきたので、何回も深呼吸していたらやっと心が普段通りに研ぎすまされてきて、どういう順番でなにをしたらいいのかがわかるようになってきた頃に、森山さんがやってきた。同僚である彼のメガネをかけた丸い顔を見て、どんなにほっとしたかしれない。抱きつきたいくらいだった。

私が自分のミスをあげて泣き言を言うと、たったひとりじゃあ仕方ないよ、と森山さんはなぐさめてくれた。

夜の部は森山さんがいてくれたので、クスクスとカレーしかないことを外の看板に書いておき、なんとかうまく回った。それでもいつもに比べて盛りつけにほんのわずかなばらつきがあったと思う。閉店間際に新谷くんが来たときには私はかなり大丈夫な状態にあり、みちよさんがいない厨房に慣れていた。でも、それではもう遅いではないか、と思った。一度しか来ない人もたくさんいるというのに。

私がいかにふだんみちよさんを頼りにしすぎているか身にしみてわかった。ひとりで立っているつもりでいて、実は足手まといだった可能性もある。

二日目のランチもそれでなんとかなった。

夜はもう仕込みもできないし、おやすみさせてもらいましょう、とほとんど声がでない状態のみちよさんから電話がかかってきた。明日から休めばその次は定休日なので、二日お休みできる。そうしたらもう大丈夫だと思う、とみちよさんは言った。

そうか、私が煮込みものの仕込みくらいはできるようになっていないと、いざというときにお店を開けることはできないんだなあ、と少しがっかりしたが、私ではまだみちよさんの代わりにはなれないことはわかっていたので、目標をいつかはみちよさんが数日いなくてもお店が開けられることにもっと絞り込んで、でもあまりがつがつとお料理を習おうとせずにサポートしていこうと思った。

足が棒になるくらい店の中を動いたので、お店が終わる頃にはふらふらしていた。

待っていてくれた新谷くんとおつかれさまの一杯でもしようと夜道を歩いていたら、冷たい風がひたすらにすがすがしく、星は氷のかけらみたいにきらきらしていた。風が強いので空気が澄んでいて、建物の窓のひとつひとつがくっきりと近くに見えた。

「余力がないくらいに、ふだんいっしょうけんめい働いているつもりだったのに。まだまだ子供なんだ、そのうえ余力があったんだ、私って。」

　私は言った。

「こういうことがないとわからないっていうのが、また子供っぽいよね。」

「でも、お店は永遠にひとりきりじゃできないから。できると思うようだったらほんとうに子供だよ。だいたい、まだよっちゃん、二十代じゃない。落ち着いてなんでもできるようになるのはこれからだよ。」

　新谷くんはまたいいことをするっと言った。

　新谷くんの高そうなダッフルコートはみっちりとしたウールの感触で、腕を組んでいる私を安心させた。

「まだまだ、全然だなあ。」

　私は言ったが、ほてった顔が冷えていく感触とともに、希望に満ちていた。これが若さというものなのだと実感もしていた。経験していないことをひとつひとつクリアしていく歓び。

「鼻水出てるよ。」

　新谷くんは私の顔をじっと見て、おもむろに手袋で私の鼻水をきゅっとふいた。

「やだ、そんなこと。」

私は笑ったが、そのまま新谷くんは私に激しくキスをした。人気《ひとけ》のほとんどない夜中の茶沢通り、昭和信用金庫の前くらいで。

私をぎゅっと抱いて、閉まったシャッターにぐっと押しつけて、私の体を思いきり触った。

「もうがまんしない。今日泊まりに来て。」

新谷くんは言った。

「疲れ果ててるし、泊まれないけど、おうちに行くくらいなら。」

私は言った。

「じゃあ、行こう。」

新谷くんはそう言って、タクシーを拾った。まあいいか、と私は思っていた。よく働いたし、明日は突然にお休みだし。

そして黙って車に乗っていた。しかし私の気持ちはどうしても窓の外の様子などにそれてしまい、あまり深く考えられなかった。彼の仕事や、彼の店のアンプのこととか、全く知らなかったし、それをこれ以上知っていく気持ちもないのに、いいのかな、と思った。変な考え方だけれど、なんとなく彼はいっしょにライブハウスをやれる人と結婚するのかな、と思っていたのだ。そうでなければ、両親が離婚しているから、結婚はしたくないのではないかな、と。

別れるのがわかっていてつきあいはじめたわけではないけれど、別れるのは淋しいからいやだな、と思った。

そのとき、新谷くんがすごく無邪気に、

「早くつかないかな〜。」

と言ったので、私はぷっと笑ってしまった。そしてこの人の内側から出てくる面白さを、こういう大げさではないしかたでする発見が大好きだと思った。

電気のついていない新谷くんの部屋の鍵を新谷くんがあけて、玄関のライトをつけた。もう見慣れた玄関に立ち、コートと靴を脱いでいたら、新谷くんは抱きついてきた。

「いきなりですか？」

と私は言った。

「いきなりですよ、お茶とかお酒とか飲むのは後でもできるし。」

新谷くんが言った。

「もう待てないし。」

待てないのだろうし、慣れているんだろうな、そう思った。乱暴でもなく、緊張しているのでもない、自然な触り方だった。ソファの上、玄関の明かりと窓の外の街灯の明かりだけが照らしている部屋の中で、はじめてセックスをした。新谷くんも私も服さえ脱がなかった。

一度してしまえば、ぐっと距離は近づく。

三十分後に乱れた服で新谷くんがいれてくれた深夜のミルクティーはものすごくおいしかった。ミルクにアッサムの茶を入れて、ちゃんとぐつぐつ煮だしたものだった。黒い砂糖がたっぷりと入って、ものすごく甘くて、幸せな味であった。それから「そもそも一杯飲む約束じゃなかった？」と笑いあい、ふたりで冷蔵庫から冷たい缶ビールを出して乾杯した。

二回目はもっとゆっくりだった。ふたりとも服を脱いで、毛布にくるまって甘いセックスをした。新谷くんのテクニックはものすごく、こんな経験をしたことはないと私は思い、思わず次回が楽しみという気持ちになるくらいだった。

それでも私は、なんとなく思っていた。

新谷くんと長くつきあっていくことはないだろうと。

うすうすわかっていたが、やってしまえば、ふたりの間には、もうなにもなかった。これからできることはなにもない、そう感じられた。

信じられないことにすっからかんだったのだ。それを新谷くんが感じていたのかどうかはわからない。でも、きっと感じていたと思う。寝てしまったことで、すっかり魔法は解けてしまった。

「とってもすてきだった。またね。」

私はがっちりとコートを着込み、新谷くんは薄着のままで道まで送ってくれて、タクシーを拾ってくれた。そしてちゃんと見送ってくれた。

なのに私は涙が止まらなかった。

どうして好きになれないんだろう、もっともっと好きになれたらよかったのに、そう思った。タクシーは夜道を下北沢に向かってすべるように走っていた。さよなら、私のごまかしの恋。今でなかったらきっとほんとうに夢中になれた恋、そう思った。

夜の道が涙でにじんでいた。もう失うのがこわいから、なにもかもそのままにしていたかったから、続けていた恋だったんだ、そう思った。淋しい、新谷くんがいないと淋しい、だから好きになった。でも愛してない、そこそこしか好きになれない。ずっと知っていたけど、ごまかしていたんだ、そう思った。


ちょっと急に進みすぎたので、どうしていいかわからなくなっちゃった、少し時間をください、というメールを書いたら、新谷くんは「いつでも連絡ください、待ってます、お店には普通に行くよ。もうあそこでごはんを食べない人生なんて考えられない」という返事をくれた。

そういうところも好きで、ふふ、と私は笑った。

そういうところに好感を持ち、好感以上は持てそうにない、そのことはまだ言わなくていいという気がして、三日にいっぺんくらい、新谷くんがお店に来るのをやはり嬉しく思った。キスしたり手をつないだりはしたけれど、それ以上のことはなかった。新谷くんは待ってくれる構えだったし、私も決定的なことが言えるほど健康な精神状態ではなかった。お店をやりとげることで精一杯になっていたのだ。それを察して新谷くんがあまり深い話をしてこないこともありがたかった。

でも、心のどこかでわかっていた。この人は慣れているんだ、こういう全てのことに。私だからじゃない、数をこなして慣れているから、女性はこういうとき追いつめないほうがいいとわかっているんだ。

くすんだような、悔しいような、それは決して嬉しい気持ちではなかった。

そうやって冬は過ぎていき、ついにレ・リヤンの露先館での営業は終わった。建物がとりこわされるという日取りも決まった。

最後の日々は、入れかわり立ちかわり常連さんが次々に来て、毎日が小さいパーティのようだった。

ほんとうの最後の日にはお別れの小さな会を催し、新谷くんもお母さんもいっぺんに集って、みちよさんも森山さんもちょっと泣いて、そして静かにみんなで後片づけをした。お客さんもいっしょに掃除をしてくれた。あの頃の私とお母さんの復活を育んだ、小さな窓から見る茶沢通りの景色を最後に写真に撮り、全ての窓ガラスをていねいに拭き、荷物が搬出される日までしっかりと鍵は閉められた。

「二月から、いっしょにフランスだね、よろしくね。」

と言って、みちよさんは夜の道に消えていった。

「ひとつの時代が終わったね。」

お母さんは言い、私と新谷くんとお母さんで、ちづるさんの店に行って乾杯をした。おつかれさま、とふたりが言ってくれたのはとても嬉しかったし、ちづるさんも乾杯に参加してくれた。

今日は帰るという新谷くんを駅まで送っていき、お母さんと歩き出した。

年末の商店街は夜中までにぎわっていた。

なにか区切りをつけなくちゃとあわてている人たちがおろおろしている感じがした。

「あんたも明日からひまになるね、押し入れの整理やってよね。」

お母さんは笑った。

「まあ、でもしばらくはのんびりしなよ。」

「うん、ありがとう、ねえ、お母さん。」

自分がそう言ってしまってから、いったい自分はどの話をしたいのか、わからなくなっていた私は、結局こう言った。

「新谷くんと私って、どう思う？」

お母さんは私をちらっと見て、しばらく沈黙のうちに歩いた。お母さんのとんがったブーツがこつこつ音をたてるのがよく聞こえた。そしてちょうど商店街の真ん中あたり、サンクスの前あたりで、お母さんはやっと答えた。

「寝たことのある友達…って感じ。悪いけれど、結婚とか、そういう大きいことはありえないと思う。すごくいい子だけれど。」

「そうか。」

私は言った。やっぱり、と思った。

自分の意見が影響力を持つことを考えて熟考してから答えたのだろうな、と思った。そういうお母さんが好きだった。

「ごめん。ちゃんと恋愛中なのに、水をさすようなことを言って。」

お母さんは女友達みたいに素直に謝った。

「ううん、私も、うっすらとそう思っていたから。」

私は言った。

「だったら、ちゃんとしたほうがいいかなあ。」

「いや、ちゃんとしなくちゃいけないと思わないほうがいいと思う。けんか両成敗だし。」

お母さんは言った。

「なにか間違ってる言い方だけど、意味は、すごくわかる。」

私は笑った。

お店は「今日はまだ閉まらない、そのときに考えよう」と思いながら、毎日のことをやっているうちにほんとうにあっけなく終わってしまった。最後のほうは忙しくて毎日のように森山さんが来てくれたので、かえって余裕があって忙しさが楽しく思えるほどだった。

ほんとうに終わってしまうと、気が抜けてしまった。そして全く脈絡なく、思った。もしもお父さんが死ななかったら、その女性は次の人を見つけただろう。だとすると、その次の人を、お父さんは助けたことになる。その逆で、お父さんがもし死に損なって、次の人が死んでしまったら、さぞかしいやな気持ちになるだろうなあ…。

そしてはじめて、あのおばさんが来たことの意味が、しみてきた。

「お母さん、実はね。」

私は言いだした。

「ちょっと話したいことがあるの。あの高いバーで、もう一杯飲んでいかない？　おごるから。」

「いいよ、恋愛の相談？」

お母さんは言った。

「違うの、このあいだお店にあるおばさんが来たときからの話なの。」

私は言った。

「オッケー。」

お母さんは言った。私の表情からすでにどういう話題かはわかっていたのだろう。


カウンターに座って、いつものおまかせフレッシュフルーツのカクテルを注文して、私はお母さんにこれまでのことを話した。山崎さんに会ったこと、そのおばさんと新谷くんにお札やらお塩やらをもらったこと、あの女性について知ったことなどだ。

話してみるとなんていうことのない話なので、重くとらえていた自分自身の問題なのだということがよくわかった。お母さんもわりとあっさりとした顔で聞いていた。少しだけ眉をひそめながら。

眉をひそめている顔のお母さんは、多分若い頃お母さんはこういう顔だったのだろう、という色っぽい顔をしていた。

「で、あなたはどうしたいの？」

お母さんは言った。

「あの林の中に行って、供養とかお祈りとかなにかしたいの？　『悼む人』みたいな感じで？」

「お母さん、よくそんな最近の小説を読んでいるね。」

私は言った。

「時間はたっぷりあるもんでね。バイトしてても。」

お母さんは言った。

「うーん、そこまではっきりしたものではないけれど、そうしたほうがいいのかなあっていうくらい。」

私は言った。

「ごめんね、言うよ。私はそんなことまっぴらごめん。」

お母さんは言った。

「だってついでにあの女まで供養しちゃうし。それにまだ整理できてないから、嘘になっちゃうし。」

「そう言うと思ってたんだ。だから、言ってみただけなの。」

私は言ったけれど、涙がにじんできた。おかしいな、子供に戻ってしまったみたいだ。お母さんに否定されたというだけで、泣けてくるなんて。

「ごめんね、でもこのことに関して、私とよっちゃんはあくまで違うべきだと思うんですよ。」

お母さんは言った。

「実はもう憎んでないよ、あの女のことも。くやしいけどさ、取られた私がうかつだったんだし。命をとられたお父さんはもっとうかつだったんだし。でも、だからといって成仏してほしいから手を合わせるのもできないよ。」

「いや、もっともだと思う。」

私はこらえきれない涙をぬぐいながら言った。

「私は私の立場で、ひとりきりでいるべきだと思う。このことをわかちあえるのは、この世でよっちゃんだけだよ。だからもしもよっちゃんがもう一度あの現場に行きたいというのなら、止めはしない。でもね、私は行きたくない。その自分の気持ちを大事にしたい。多分一生行かないと思う。いつまでも今の地点で、ふっとあの人のいいところやよかった思い出を思い出してあげるだけでいい。」

お母さんは言った。

「うん、わかってる。私はまだ子供で、それでね、いっしょに行ってほしいとか、仲良く手を合わせて祈りたいとかではないの。割り切れないものは割り切れないままでいいの。ただ、お父さんが何回も夢の中で電話をしてくるから、自分の気がすむことをしたいだけなの。」

私は言った。

「うん、よっちゃんの好きにするといいよ、それはいやではないし、反対しない。ただ、私は全然行きたくない。そんなきれいなこと、したくない。うずうずとした恨みをじっと抱えているほうが、私は健全。」

お母さんは言った。

「でもね、ほんとうに感謝してるのよ。私だって、しっかりしてなくちゃと思ったものの、あまり記憶がないもの。あの頃の。目の前が真っ暗なまま、日にちが過ぎていってしまって。それで、よっちゃんにすがったりしたし。いっしょに住ませてもらったり。どんなに助かったかしれないよ。

あのね、こんなふうに捨てられるってどういうことかわかる？　世間体を考えてもすごくみじめだけれど、そんなことじゃない。もしかしてお父さんは本気ではなくって、相手のあの女に裏をかかれただけなのかもしれないし、みんなそう言ってくれた。でも、そんなのではないの。もうほんとうに自分を嫌いになって、自分の全てが汚らしくうとましく思えて、消えてしまいたくなるんだよ。何か少しでもすてきなことが起きようとすると、その度に仲良く並んで死んでいるふたりの姿が浮かんでくるんだ。その前に仲良くベッドに入ったり、仲良く飲んでいるふたりの姿もいっしょに考えちゃうよね。そうすると自分に全く価値がなく、意味がないように思えてくる。」

お母さんは続けた。

「だから、よっちゃんといるときだけが、自分にも意味があると思えた。子供を産んで、ほんとうによかったと思った。私たちは当時少し行き詰まって、別れるか子供を持ってやりなおそうか話し合って、子供を持つことに決めた。それはほんとうによかったって。よっちゃんのいない人生なんて、考えられないし、よっちゃんが無事に生きていくことが私のいちばんの願いなの。自分の人生よりもずっと重い願い。

でも、だからといって、こんなどろどろと共存している私は、よっちゃんのきれいな気持ちに合わせてあそこに行ってあげることは、できないんだ。だって、しょっちゅう死んじまえと思うもん、お父さんのこと。でもあれ以上に死ぬことはないからねえ。」

私は黙ってうなずき、カクテルを飲んだ。みずみずしい果物の味が広がった。生きているってただそういうことだと思う。

私は、別にいい子じゃない。転がり込んできたお母さんのことはひんぱんに、わずかとはいえうとましく思ったし、新谷くんが常に私を求めているのもうっとうしかったし、店だっていくら働いても掃除をしても別に自分のものになるわけでもないし、お客さんにいくらしっかり接したってなにをしてくれるわけでもないし、みちよさんが私と結婚して将来を保証してくれるわけでもない。全ては徒労で、自分だけが悪い目を見てる、損してる、いつも人のためにいやな思いをしてる、そんな気分だっていくらでも掘り返してくることはできた。

しかし、お父さんとお母さんがそろって私に差し出してくれたなにかが、そうさせなかった。

愛されている自分に誇り高くあれと彼らが行動で教えてくれていた気が、なぜかするのだ。うっかり死んじゃっても、家があるのに家出して娘のところに転がり込んでも、なにがあっても彼らは彼らしく生きていた。そのことも私をだめにさせなかった。

そのとき、お母さんがグラスを片手に遠くを見ながら、ふと言った。それを聞いて、私はぞうっとした。

「夢のことだけどね、私も見るよ。私、思うんだ。あの人、電話したかったんだろうなって。死ぬときにあの人の頭の中にあったのは、電話したいってことだけだったんだよ。それだけはどうしてか手にとるようにはっきりと伝わってくるの。彼が電話したい先にいるのは、となりにいたあの女じゃない、私たちなの。だから、いいのよ、もう。それでいいじゃない。私はそれでいい、もう。」

ずっとお母さんになにかを黙っていたという気持ちの負担と、お店の最後の日々にうっかり風邪などひいて倒れてはいけないというはりつめた気持ちが一気にゆるんで、私はその夜熱を出した。こういうのを知恵熱というのだろうと思うくらいに、急に熱がばっとあがって、三時間くらいですうっとひいていった。

私は水ばかり飲んでずっとふとんに入っていた。お母さんは熱いはちみつレモンを作ってくれた。がたがた震えながら、私はそれを飲んだ。しみてくるすっぱさの中で、古いたたみの汚れが妙に気になった。熱があるときはそういうものがよく見えるのだ。それでもあのきれいな実家の部屋に帰りたいとは思わなかった。あそこは家族の家。その時期は終わった。

「いやあ、あいかわらず松田優作にはまってて。音小さくするから。」

とお母さんは言って、今度は、「ア・ホーマンス」を大画面で観はじめた。

若き日の手塚理美が熱のある頭の中に、天使のように美しく映った。

暗い部屋の中に、TVの明かりがちらちらとしているようすは、家族の旅行を思い起こさせた。私がもう寝てしまっても、お父さんとお母さんが起きて寝転がりながらTVを観ていたときの、旅館の部屋の中みたいだった。

そう思ったとき、多分このことがあってから初めて、ごく普通の涙が出てきた。

号泣でもない、恨みでもない、苦しみでも憎しみでも悔やんでいるのでもない。

もう子供でない自分に驚き、過ぎた時間を恋しく思う涙が、とめどなくあとからあとから出てきた。

お互いが黙って泣いているのに、もうお母さんも私もあまりにも慣れきっていたから、お母さんは私が泣いているのに気づいたけれど、ただ黙っていた。冷たくも熱くもなく、共感をもってただ部屋の中にいた。

それに気づいたとき、私は今の自分を幸せだと思った。

かりそめの彼氏と焼肉を食べている高揚した幸せとは違った。もっと深いところで、自分はゆるされていると感じたのだ。


目が覚めて時計を見て、あ、遅刻だ！　と思ったのだが、考えてみたらもうお店はないのだった。お正月明けまではやることがないなんて、不思議な感じだった。びっくりしていて、体がまだお店に行きたがっているような。自分の一部をどこかに置いてきてしまったような。

お母さんはもう出かけていて、コンロの上の鍋にはおかゆが作ってあった。私が熱を出して泣いていたからかなあ、と思った。

冬の空は真っ青で、風がひゅうひゅう音をたてて吹いていた。

部屋のたたみが白い光でさらされたように光っている。

おかゆの甘い味をかみしめながら、私は窓からもう真っ暗になったお店を見下ろしてなんとも言えない気持ちになった。ただの休日とは違う、あそこに活気が戻ることはもうないのだ。数日たてば工事の人が入り、厨房の機器ははずされてしまう。使えるものはみちよさんの実家に一時置いておいてもらうことにもなっている。フランスへの旅は、みちよさんは一月半ばに、私は二月に出発して、パリで待ち合わせて牡蠣《かき》を食べるところからスタートすることになった。パスポートを取り直したり、スーツケースを実家に取りにいったり、私にもやることはあったけれど、今はまだぽかんとしていた。

空が高くて、凧《たこ》のようにどこまでも飛んでいけそうに思えた。

私はふっと思い立って、茨城に行ってみようと思った。お塩だのお札だのを持って、とにかく昼間明るいうちに行ってみよう、と。こんな天気の、こんなぽかんとした気持ちのときだったら行けるかもしれないなと。

私は荷物を簡単にまとめ、多分バイトに出ているであろうお母さんに「熱も下がったし、ちょっと茨城に行って供養してきます、一泊にはならないと思う」とメールを出して、家を出た。

　東京駅についてバスのチケットを買い、地下でおにぎりを買って、お茶を買って、あと十五分でバスが出るというところで、ベンチに座ってロータリーや様々な土地へ向かって旅立つバスやもくもくと目的地に向かう静かな乗客たちの態度を眺めていたら、私は、突然に淋しくてたまらなくなってきた。なにがというのではない、ただただ涙が出てきて、息が苦しくて、どうしようもなかった。どうしよう、もうすぐバスに乗っていかなくてはいけないのに、落ち着かなくちゃ、と思えば思うほど、淋しさが胸をふさいでいた。なにもかもなくしたみたいな変な感覚が襲ってきたのだった。

　お母さんに電話しよう、やっぱりしよう、と思って携帯電話を取り出したら、気づかぬうちに着信があったのがわかった。新谷くんだろうか、と思って見たら、それは山崎さんだった。私は反射的に電話をかけた。

「もしもし。」

　山崎さんの声はそんなときでも私を落ち着かせた。

「お電話いただきましたか？」

　めちゃくちゃに泣いている鼻声でしかもしゃくりあげているような状態なのに、私は礼儀正しくそう言った。

「茨城の件、どうなったかと思って、かけてみたんだけど。今日は晴れてるし、茨城日和だなあと思って。あ、別に今日行こうっていうんじゃないよ、思い出したの。」

山崎さんは無邪気に言った。

「今日行きましょうよ。」

私は泣きながら言った。

「実は私、今、東京駅にいて、これからバスに乗って水郷潮来《すいごういたこ》まで行くんです。でも、なんだか淋しくて泣けてきてしまい、道連れがほしいんですよ。」

「ええっ、今？　それに、泣いてる？」

山崎さんは言った。

「おふくろさんは？」

「断られました。」

私は言った。

「説得の余地もなく、ふられたのです。」

そう言ったらますます淋しくなって泣けてきて、私はおいおい泣いた。山崎さんはしばらく黙っていた。かなり長いあいだ、私はただ泣いていた。そして山崎さんは数分後に明るい声で言った。

「いいよ、行こう、僕、今日暇だし、なんか楽しい。でも、よっちゃん、今からバスでしょ？　僕、車だよ、追いかけようか。」

すごい人だなあ、と私は思った。そして素直に言った。

「はい、待ってます。水郷潮来から鹿嶋のあたりで、連絡をとりあえればと思います。」

もうなんでもいいや、と思った。

「こっちが遅くなると思うんだけれど。」

山崎さんは言った。

「じゃあ『さんて』でお風呂に入ってます。」

私は言った。

「わかった、その名前で調べてナビに入れていく。着いたら電話する。」

山崎さんは言った。

すごい行動力だ、と私はちょっとぼうっとなって、山崎さんをほんとうに好きになってしまいそうになった。さっきまで行き場を失っていた心は一転して温かくなり、私は明るい気持ちでバスに乗り込んだ。

なんだ、ほんとうはお母さんにどうしても来てほしかったんだ、とわかった。

二十歳を過ぎたら、なんでもひとりでできるようになっていると思っていたが大間違いで、私はまだまだこれからの人間なのだとまた思い知った。しかしその敗北感は妙に心地いいものだった。気張っていたものがするっと抜けて、ぐにゃぐにゃになり、また一歩から始めるしかない、地べたから高みを見上げる気分だった。

バスは出発し、高速に乗り、うたたねしていたらあっという間にバス停に着いた。なにもない吹きっさらしの野原みたいな場所…前回に来たときはほとんど景色が見えていなかったけれど、今は見えた。遠い高い乾いた空を渡っていく風も見えた。金色にところどころ光る草の広がりも見えた。落ち着いて眺めると景色は全然違うものに見える。

そこからタクシーに乗りついで、待ち合わせをすることにした目的地に向かった。

国道からちょっと入ったところに、海を望むその温泉施設は建っていた。私は観光客っぽく大荷物をロッカーに入れ、地元のおばあちゃんたちに混じって体を洗い、その後は広々とした露天風呂にいつまでも入り、だだっ広い青空と、木々の向こうのはるか遠くに激しく波立つ海を見ていた。久しぶりに大きく広いものを見て、心も広がった。来てよかったと思った。

少なくとも私は新谷くんよりは山崎さんのほうが好きな時期だったのだということを自覚することができた。それがわかってすがすがしかった。結婚したいほど新谷くんを好きになることもないだろうとわかってよかった。あの夜、もうがまんできなくなったところが新谷くんのいちばんの良さで、私はそれを心底かわいいと思えなかった。もう少し待ってくれたら、違うことがあったかもしれなかったのだが。

女性に慣れすぎている彼をどうしても最後のところで信用できなかった。体が先にどんどん彼を好きになってしまったら、きっと心はどんどん置いていかれる、そう思った。

さすがお母さん、どうして「探偵物語」を観ていたのだろう、と思った。しかもドラマのほうではなく、映画のほうを。あそこに答えがもう描かれていたではないか。

一時間ほどして出てみたら、携帯に「着いたけど、連絡とれないので風呂に入ってます、大広間で会おう」というメールが届いていた。

大広間で寝転んでうたた寝していたら、まるで待ち合わせした家族みたいに湯上がりの山崎さんが入ってきた。

「やあ、よっちゃん。」

山崎さんは言った。寝転んだ体勢から見た、山崎さんのくりくりの大きな目の中に、私の安心できる場所が確かにあった。奇妙な落ち着きが私を支配していた。理屈ではない、すうっと入っていける空間を見た。やはり間違いなかった、何回会ったから、なにがあったから、なにをしてくれたからではないのだ。間違いない、この人にひきつけられている、そう思った。彼に美しい奥さんがいても、私がその気持ちを表すことはないとしても。

私は起き上がって、

「電話に出られなくてごめんなさい。」

と言った。

「それからわざわざ来てもらって、ごめんなさい。」

「湯上がりのビールをぐっと飲みたいけど、運転だからなあ。」

山崎さんは笑った。

「今日はひまだったし、好きで来たからいいんだ。でも。」

山崎さんの年齢はいくつだっけ、と考えてみたら、四十五くらいだった。お父さんよりも年下なのに、落ち着いているのでなんとなくもっと年上に思えていた。よく見るとお肌も若いし、いつも着ている服がおじさんくさすぎるからなのかなと私はのんきに思っていた。

「なんていうか、今日のこの風の感じとか、空の感じとか見てて、なんとなく今日はイモの墓参りでも行ってやるか、と思い立って、よっちゃんに電話してみたんだ。こっちまで来る気は全然なかったけど、これはこれでいいよね。こんな光がいっぱいの日だったら、なんか成仏できそうじゃない？」

そう言った山崎さんの実に中年らしい横顔を見ていて、気持ちがますます落ち着いてきた。そうか、やっぱりそうだったんだ、今日の空を見て私もそう思ったのだと。

「そう、なんか済ませてしまいたいような気がしちゃって。」

私は言った。もう甘えたり頼るふりはやめた。対等に思うようにした。

「でないと先に進めないみたいな。お札や、お塩がどんどんカバンの中で重くなっていくの。でもお母さんにふられたら、思った以上に淋しくなっちゃって。だから来てもらえて嬉しかった。ほんとうは、あの場所に行くのが震えが来るほどこわかったの。ほんとうに、ありがとうございます。」

私は言った。

「よっちゃん、なんか少しのあいだに、ずいぶん大人っぽくなったね。」

山崎さんは言った。

「いろいろあって、自分が子供だっていうのを思い知っただけです。」

私は言った。


その女性とお父さんが心中した場所は国道からずいぶんと入った林の中にある小さな集落のあたりだった。

住む人のない廃墟みたいな…ウッドデッキが腐って落ちていたり、ガラスが割れている建物や、夏場だけ使っているのだろう、ベランダにサーフボードが干したままになったりしている別荘群のあたりの、住んでいる人はあまりいなくて人通りのない、舗装されていない、林の木々からうっそうとした枝がどんどん伸びてきていて視界が悪くなっている道の奥だった。

お父さんたち（たちと言いたくないけれど、たち）を見つけてくれたのは、その近所に住んでいる絵本作家さんの奥様だった。おふたりは移住していつもここに住んでいる数少ない人たちだった。行き止まりの道の奥に車が長いこと停まっているので、犬の散歩のときに立ち寄ってくれたそうだった。

その奥様はとても感じがよく、心底私たちを気の毒がって、呆然とするお母さんと私にあたたかいお茶をいれてくれた。後日お礼にお菓子を送ったら、ほんとうに優しいお手紙を書いてくれた。絵本作家さんはすばらしい絵をそのお手紙に描いて添えてくれた。

あんな悲惨な一日にもちょっとした光はあったのだなあ、とそのおふたりを思い出しながら、ひゅうひゅう風が渡っていく林の中に、山崎さんの古びたミニクーパーで入っていった。ただでさえ揺れる車なのに、舗装されていないからますます揺れた。坂道を行くときはまるでジェットコースターのようだった。

だんだんとふたりとも無言になっていった。

私はその場所を案内しながら、やはり息苦しくてくらくらとしてきた。ほんとうに行くのだろうか、自分よ、と思っていた。

もちろんその場所にはもうお父さんの車はなく、恐ろしい光景もくりかえされようがなく、枯葉に覆われたがらんとした行き止まりの小道があるだけだった。

なんといやな場所だろう、ここで人が死んだのだ。お父さんがここで嬉しい気持ちではなく人生を終えた場所なのだ。お父さんの音楽もすばらしかった演奏も私たちとの時間もみんなこの荒涼としたブラックホールに吸い込まれていってしまった、そんな場所だ。

ここです、と言うと、山崎さんは車を停めた。

「ここにお札を置いたら、住んでる人たちは気味悪いよね。」

車を降りて、私は言った。

「まあ、いいんじゃないかな。いっそ埋めちゃったら？」

山崎さんは言った。

「はじっこに埋めようかな。」

私は言った。

山崎さんが車の後ろからなぜかシャベルを出してきた。スコップではなくシャベルだった。

「それ、いつ、なんに使ったんですか？」

と私は言った。

「ずいぶん前に、かみさんがかみさんの実家の庭に球根を植えたときかなあ。」

山崎さんは笑った。

「奥様、お元気ですか？」

私は言った。

「離婚しました、二年前に。彼女が家を出たんです。」

山崎さんは言った。

「あ、僕の浮気が原因とかではないですよ。浮気はなかったとは言いませんがね、とにかくむつかしい女性だったんです。子供も欲しかったのにできなかったしね。若い彼氏を作って、僕と離婚して、その人と結婚して、高齢出産で子供を産んだ。」

それを聞いたとき、正直に、少しだけ嬉しかった。でも彼のことだから、きっといっしょにいる女性がもういるのだろうとも思った。

「そうですか。」

私は言った。

「あれだけきれいな方だと、いろいろあるんでしょうね。でも、残念です。おふたりがおふたりでいるところが、好きだったんです。お母さんも私も。」

「イモもいなくなったし、僕は離婚して、この数年でいろいろなことが変わってしまったなあ。普通に暮らしてるのが不思議なくらいだ。」

山崎さんは言った。

「私も、まだお母さんがいるのに、なにもかもなくしちゃったみたいな気持ち。」

私は言った。

「よっちゃんはなんでも言葉で考えるからだよ。ぐるぐるぐるぐる回っても、答えが出ないことがいっぱいあるでしょう。でもよっちゃんにとって、それこそが時間をやり過ごすやり方なんだと思うから、幼いとかよくないとか思ったことはない。でも、なんでもない空間をただじーっと、なにも考えないで見てるような、ぐっとこらえ抜くようなやり方もある。おふくろさんは、そっちのタイプの人なんじゃないかなあ。」

山崎さんはしみじみと言った。的を射ていたので、私は黙った。

「そんなおふくろさんを見ていると心配になって、よっちゃんはつい代わりに考えてあげちゃうんでしょう。でも、どんな近い人でも、代わりに考えてあげることはできないからねえ。でもそこがよっちゃんのかわいいところだったり、いいところだとやっぱり思うよ。君はいつでもとにかく一生懸命で、一時もむだにしないで考えたり動いたり人の心配をしていて、けなげすぎて涙が出そうだよ。」

「いや、私が考え込んだ時間を、発電とかなにかに活かせたら、きっとすごい電力が作れたと思いますよ。でもほんと、他にできることがなかったんですよ、このことに関して。こんなに考えたことは、なかったかも。」

私は言った。

「いや、よっちゃんは子供のときから、いつでも人の代わりに考えてあげてたよ。イモもおふくろさんも、どっちかというとやってから考えるタイプで、ふたりのことをいっしょうけんめい考えてるのは、いつだってよっちゃんなの。でも、軽く流されちゃうの、あのふたりに。一人っ子って大変だなあ、と当時よく思ったよ。お父さん、お母さん、そんなことしてたら、明日熱が出ちゃったりしない？　とかそんなに食べ過ぎたら、あとで苦しくならない？　とかっていつもよっちゃんは心配して言ってたよ。」

山崎さんは言った。

「そろそろ己のことだけ考えても、いいのかもよ。」

「ありがとう、山崎さん。」

私はその言葉に、見ていてくれたことに、心から感謝して言った。

そしてふたりでもくもくと穴を掘った。お札を埋めるのはなんとなく申し訳なかったが、ここで死んだっていうのに比べたら、神様にも迷惑ではないだろう。いやいや、神様にとってはなにもきっと迷惑ではないんだ、きっともっともっとすごいことも、たとえたとえ心中だって殺人だって。そう思ったら、少し気が楽になった。

新谷くんにもらったお札を、新谷くんありがとうと思いながら、土の中に埋めた。

それから私はついにそれを取り出した。

お父さんが死んだときに使っていた、携帯電話だった。

何回も私の夢に出てきた電話だ。

お父さんは、あの朝、携帯電話を忘れていった。お父さんが死んでからも、電話はうちで充電されていた。警察がいちおう調べると言って持っていった。もちろんその女性のメールや着信履歴もたくさん入っていたし、私とお母さんの送ったたわいないメールも見られてしまった。もしもあの朝、電話を忘れていかなかったら、どこかの段階で連絡をくれたら、様子がおかしいのに気がついて止めることができたかもしれないという気持ちも、私たちを長い間さいなんだ。そして警察から電話がビニール袋に包まれて戻ってきた夜、お母さんはその電話をうちの玄関の床にたたきつけてから、何回も何回も怒りを込めて踏んでこわした。そしてそのあと床に突っ伏してわあわあ泣いた。私もそれを見て、その激しさに触れて涙が止まらなかった。お母さんは、自分がこの中のデータを見ちゃうのもいやだし、私たちの生活がのぞかれたのもいやだと泣き叫んだ。

だからそのバキバキに割れている電話は全く、お父さんと同じくらい完璧に死んでいたのだけれど、私はそれを片付けながら、なんとなく捨てることができずに持っていたのだった。

私はお札といっしょにその電話を埋めた。お父さんにはなんとなく悪いと思ったけれど、電話があるかぎりずっと悲しくてしかたなくなるので、埋めたかった。思い出の品ならまだいっぱいあるから、そう思った。この特別悲しいやつでなくてもいいと。

埋めてしまえば、お父さんが夢の中で電話を探すこともなくなるかもしれないし、そうであってほしいと。

そしてなぜか元のように落葉をかぶせてみた。お父さん、電話の霊が今そっちに行くから、思う存分私たちにかけるがよろしいよ。私は甘く優しい気持ちでそう思った。

山崎さんが、

「それ、イモの携帯？　懐かしいな。なんでそんなにむちゃくちゃ壊れてるの？　すごくこわいよ。」

と言った後で、

「埋めてからそんなに元通りに葉っぱをかぶせなくったって、落とし穴じゃないんだから。」と笑った。その言い方が妙におかしくて、私も笑った。ふたりの笑い声が風といっしょに木立の中を軽やかに抜けていった。

それから包みをほどいて、山崎さんにも塩を分けて、清めのようにいっしょにばらまいた。

そして手を合わせてお祈りした。

お父さんの写真はもう下北沢にあるよ、成仏してください。お母さんはまだ少し怒ってるかもしれないけれど、でももう多分だれもほんとうには責めてないよ。

それからよく知らない女の人よ、わりと美人な私のおばさんが若い頃やんちゃをしたせいなのか、よく知らないけれど、興味もないけれど、めぐりめぐってこんなに深く縁ができてしまった、幸薄そうな美人の人よ、あなたのことはよく知らないけれど、これからも知りたくもないけれど、ついでに手を合わせます。もしも生まれ変わったら、もうだれとも心中しないように。ひとりで死にたくないのはわからなくもないけれど、まわりはとっても大変ですから。もうほんとう、人生変わりましたから。

「少し気が済んだ。」

と山崎さんが言ったので、私ははっと目をあけた。

少し気が済んだ？　ではなく、自分の気が済んだと彼は言い、それが私をほっとさせた。

お母さんが来なかったのが正しいのと同じで、こういうことは、つきあってもらってするようなことではないからだ。

お墓には行くけれど、もうここには二度と来ないだろうなと思い、立ち上がって、遠くに見えるその絵本作家さんの家の明かりに向かっておじぎをした。

どうか、健康で長生きして、お幸せでいてください。ありがとうございました。

「私も、少しだけ納得できました。ここのことを想像すると、パトカーとか、停まっている車とかの光景が浮かんできてしまって、ものすごく暗い気持ちになっていたの。今日の景色が上書きされて、少し楽になったような気がします。」

落ち着いて言ったのに、目からは勝手に涙がぼろぼろ出ていた。

ここを永遠に立ち去るにあたって、あの日、絵本作家さんの奥様がいれてくれたお茶の温かさを突然に思い出したのだった。にこにこして、はきはきとした声で「はい！」と言ってお茶碗を渡してくれた奥様の後ろで、絵本作家さんは静かに私たちを見ていた。その目の中にはいろいろなものを見てきた深さがあり、寄り添ってきた夫婦の年月があった。この人たちだってショックだし気持ち悪かっただろうに、そんなことを全く感じさせないように、どっしりとかまえて私たちを気遣ってくれた。お母さんも私も無心にお茶を飲んだ。いつまでも忘れないような味がした。すがりつきたいような、人の心の無条件な、見返りを求めない優しさの味だった。

「ならよかったけど。」

山崎さんは言った。そして時計を見た。

「もう四時か、大洗水族館に行けなかったね。温泉には行けたからまあいいか。」

「いいえ、行きましょう。」

私は言った。心臓がどきどきしていた。顔が赤くなるのがわかった。

「明日朝イチで行きましょう。」

「…なに言ってるんだ、よっちゃん。」

山崎さんは言った。

「そんなの、イモに殺される。」

「もう死んでますから、殺されない。」

私は言った。

「とり殺される。」

山崎さんは笑った。きれいな歯並びが見えて、この人の笑顔は最高だと思った。まわりの殺風景な冬の林がきらきらして見える。

「なにもなくてもいいですよ、やけくそになって、楽しいことがしたい。」

私は言った。

「楽しいことをするしかできることがない。」

山崎さんは黙って聞いていた。私はポケットに手を入れて、遠くの空を見上げながら言った。

「もしなにかあっても、私はいいですよ。だって、私はだれのものでもないし。それに、お父さんを殺した男女のあいだの力の正体を見てみたいの。」

山崎さんは、厳しい目をして私を見ていた。

しばらく黙って、そして言った。

「よっちゃん、僕みたいな中年の男で、よっちゃんを好きでない奴は、かわいく思わない奴は、抱きたくない奴はいないよ。男っていうのはそういうものなんだ。でも、よっちゃんになにかしたら、僕は明日から自分で自分をいやになってしまう。そうしたら生きていけない。だからそんなことを言わないで。」

私は黙ってうなずいた。

涙があとからあとから出てきて、ますます山崎さんを好きになってしまい、ずるいと思った。

「好きになることは、いいんですか？」

私は言った。

「よっちゃんは、今、ちゃんと人を好きになれるような状況にないよ。それがわからない男やそれにつけこむ男はみんなばかだよ。」

山崎さんは言った。

いや、わかっていてもついやりたくなってやってしまうものらしいんですよ、と言おうと思ったけれど、黙っていた。

「ほんと、そうだと思います。頼りたいだけなのかもしれないと。」

私は言った。

「家から男の人が急にいなくなるって、単にそういうことなのかもしれないと。」

山崎さんはぷっと笑った。

「面白いな、よっちゃんは。思わず笑っちゃったよ。」

「じゃあ、大洗水族館に行きましょう、今度、行きましょう。連れていってくれますか？お母さんといっしょでもいいし、日帰りでいいの。ここの思い出だけで帰るのがどうしてもいやだっていうだけなの。」

私は言った。

「お父さんは水族館が大好きだったから。行ってあげたいんだ。」

「いいよ、あったかくなったら、おふくろさんも誘って行こう。でも、今日は帰ろう。清めの宴をしなくちゃ、今から東京に戻っていったん車置いてくるから、清めだから。日本酒で乾杯して、飯でも食おうよ。ふんぱつして高いもの食べよう。」

「割り勘でお願いします。」

「それもイモに殴られるよ。」

山崎さんは笑顔になって、

「どうせいっしょにいるだけで殴られるんなら、なんでもいいじゃないですか。」

私はそう言って笑い、だだをこねてみた自分を許し、満足した。

もちろん気持ちは晴れなかった。

お父さんの死んだ場所は何回見ても変わらず殺伐とした気持ちになる人気のない淋しい場所だったし、お父さんと死んだ女性のこともすべて謎のままだし、お父さんの気持ちだってほんとうのところはわからないままだ。でも、そんなものではないだろうか。それなのに空はきれいで空気は澄んでいて、私の毎日は続いていき、お母さんは生きている。だれのほんとうの気持ちもはっきりすることなんかない。答えは別に必要ない。もうあの日と同じものはなんにも残っていない。

悲しい場所に来ればいつだってものがなしくなるし、今生きている仲のいい人とおいしいものを食べにいくとなると少し楽しくなるし、ただそれだけだ。お父さんの気持ちなんて、わかる必要はない。お父さんには好きだったところがたくさんある、それ以外になにもわかることはない。

あいまいで、気持ち悪くて、ぐずぐずっとしていて、もやもやしていて、みんながみんなちゃんとしていなくって、それでいいのではないだろうか。

いいやいいや、別にいいや、なんでもいいや。

だって私は生きているし、多分ほんとうに好きな人と今いっしょにいるんだし。

薄暗くなっていく林の中で、その考え方をはじめてほんとうの意味で手にしたとき、私は、お母さんが私の部屋に転がり込んできた気持ちを理解し、親ではなくひとりの人のこととして受け入れることができたのだった。

急に手の中に、納得が降ってきた、まるで空いたスペースによく陽にあたった肥沃《ひよく》な土がふっくらと盛り上がるように、答えみたいなものが収まった、そういう感じだった。


お参りを終えたら急激にお腹が減ってきたのがわかり、なんとなく法事のあとは日本酒だよね、でも、ごはんはなににしようか、と友達みたいに話し合い、車に乗り込んで、落ち着いた明るい気持ちで高速にのった。

私が告白してしまったことでまたひとつなにかがほどけて、妙にふたりともがリラックスした楽しい気持ちになってきたのがわかった。車の中でいろいろ話しながら、私は彼に心から受け入れられているような気持ちになっていた。

山崎さんの経験が豊富なのでそう勘違いさせてくれているだけだったのかもしれないが、もしかして私たちはいっしょにいてほんとうに楽しくてしかたなくて相性がいいのではないだろうか、と思うくらいだった。山崎さんがグルメだった奥さんの影響で、小食だが食べ物には決して妥協しない人だというのも初めて知った。いろいろな話をした後で山崎さんの家の近くにものすごくおいしいそば屋があるからそこに行こう、ということになり、私たちの雰囲気は本気でうきうきしたものになってきていた。人が死んだ場所に行ったことなんか、忘れてしまったみたいに。振り切るならこの振り切り方でと相談して決めたみたいに。

車の中でお父さんの思い出や、お母さんの変わった性格についてとか、山崎さんの離婚についてとか、全部あたりさわりない笑える範囲で話している間も、明るく落ち着いた感じはふたりを包んでいた。

車の中で聴いていたラジオで偶然に、あの日、初めて新谷くんの家に行ったときにかかっていた音楽が流れてきたときだけ、泣きたくなった。

楽しかった、新谷くんといるのは楽しかったなあ、いつまでも錯覚していたかったなあ、そう思ったのだ。

でも、もう会ってはいけない、そんな気がした。自分がだれといると幸せなのかを、それがたとえ過去のしがらみから来る狭い範囲での、今だけの思い込みであっても、わかってしまっているのだから、もう会えない、そう思った。

いつか友達になれる日は来るかもしれない、新谷くん次第で。でも、それはもうずっとずっと先のことだろう。もう、仕事の帰りにふたりで飲みにいくことはないのだ、そう思うとほんとうに悲しかった。実らないものには実らないものだけが持つ良さがあった。

あの日に聴いたときとは違う感触で、音楽はしみてきた。歌い手は透明な弱い声でつぶやいていた。あともう一回だけ、と。

私は、悔いない日々を送ったのだ、彼と寝たことも後悔していない。でも私は新しい日々に入っていくしかない。さようなら、「レ・リヤン—新谷くん時代」よ。手のうちから砂がさらさらっと落ちていくみたいに、気づいたらあっけなく終わってしまっていた時期よ。

私の気持ちとちょうど同じくらいの速度で、高速道路の両脇の緑いっぱいの景色が後ろに流れていった。

山崎さんの行きつけのそのおそば屋さんは、おそば屋さんというよりはもうほとんど割烹《かっぽう》で、高級なおつまみがちょっとずつ出てきて、最後にすばらしい手打ちのおそばが出てくるタイプのお店だった。最近そういうお店があちこちにあって、食べ歩きしきれないのよね、とみちよさんが言っていたのを思い出した。ビストロとそばは関係ないように思うけれど、みちよさんは常においしいものを求めてあちこちに行き、研究しているのだそうだ。このお店のことを教えてあげよう、と思ったとき、そうだ、明日もお店はないのかと愕然とした。

どれだけあの場所に行くことを自分がよりどころにしていたのか、そういうときにわかる。

山崎さんが家の駐車場に車を停めてくる間、私は駅前のビルの書店で時間をつぶしていた。新刊本のあたりで待っていたら山崎さんがちょっとだけ着替えてにこにこしてやってきた。そうして自然に過ごしているともうずっと前からつきあっている人のような気がしていた。そんなの錯覚だ、明日からはまた会えない長い日々がやってくるのだとわかっていたのだが。

おそば屋さんのお座敷で、軽くお酒を飲んで、おいしいものを食べて、

「本来ならつきあっていただいた私がごちそうするべきなんですが、ここはとても高くて割り勘が精一杯です。」

と正直に言ったら、

「ここに来ようって言ったのは僕だし、見栄はってここにしたんだから、今日はごちそうさせて。よっちゃんは食の専門家だから、ラーメンや焼肉じゃないほうがいいと思ったし、あんなに魚のおいしいところからみすみす帰ってきちゃったんだから、ここしかないと勝手に思ったのも僕だし。次回なにかでおごってよ、ああ、水族館がいいな。水族館行きたかったなあ。水族館がほんとうに好きなんだ。」

と山崎さんは言った。

「あそこの、サメがいっぱいいる水槽が大好きなんだ。あと、最後のほうに変なジャングル

ジムみたいなのがあって、それのデザインがすばらしいよな。あそこで子供たちが遊んでいるのを見ると、それだけで胸がいっぱい。涙が出そう。」

「夏の前には、絶対実現させましょう、私も、すごく行きたかった。水族館って夕方には閉まっちゃうんですよね。早い時間に行きましょう。今日はごちそうになります。水族館のときはごちそうさせてください。あんこう鍋でもばーんと。」

私は言った。こういう会話をしているとお父さんとの最後の会話が楽しかったことを、よかったと思う。なにかおいしいものを今度食べにいこうという話は、いつでも楽しいものだからだ。

最後のおそばがでてきて、あまりのおいしさに私たちは無言でそばをすすった。あまりずるずる言わせないところが、山崎さんのキュートなところだった。そばをずるずるいわせられないのがコンプレックスだったんだ、という話の後で、山崎さんは言った。

「僕が相談に乗ってることを、おふくろさんは知ってるの？」

「知ってます。だから、水族館にいっしょに行くのは、全然不自然ではないです。」

私は言った。

「よっちゃんは、話が早いなあ。」

山崎さんは笑った。

「だからって、大人っていうことは全然ないです。だって今もだだをこねたいもの。今日が終わらないでほしい、帰りたくないと思ってます。」

　私は言った。

「またその話か〜。」

　山崎さんは言った。

「ごめんなさい、わかってます。だって山崎さんは、私が小さい頃を見てるんですもんね、それはむりですよね、わかってはいます。甘えて言っちゃうだけで。」

　私は言った。

「私は私の幼い世界に戻っていきますから。でもまた会いましょう。」

　ほんとうにさっぱりとした気持ちだった。やるだけのことはやった、みたいなすがすがしさが、私にはあった。もうこわいものも捨てるものもないように思えた。

「さっきさ。」

　山崎さんは掘りごたつのようになっているところから、足を出して、あぐらをかいて身を乗り出して、まだ日本酒を飲みながら、ほっぺたのところをチークみたいにちょっと赤くして言った。恥ずかしい話題だからではなく、お酒のせいで。それがまたかわいい感じだった。この人がお父さんよりも若くて、まだくたびれてないということを私はまたしみじみ思った。

肌のつやが違う、手のしわが違う。お父さんはもう人生にずいぶんくたびれていたんだ。

「はい。」

私はうなずいた。

「お父さんを持っていった力の正体を知りたいっていうようなことを言ってたじゃない。あれはどういうことなのかな。男女の間の、どうしようもないしがらみみたいなことなの？」

山崎さんは言った。

「そうですね。なにもかもどうでもよくなってしまうくらいの力だったら、お父さんを許せるかなと思って。私にはまだわからなかったから。」

私は言った。

「イモは気が弱くて…夢見がちというか、現実的なことが一切だめで…胃が痛くて医者に行ったら、小さな胃がんが見つかったんだ。その相談には乗ったんだ。」

山崎さんは言った。

「手術したら、充分、まだ何年だって生きられたようなものだよ。進行が速いタイプのがん細胞でもなかった。早く手術をしたら、完治だってありえたと思う。いい病院も僕がさがしていた。でも、あいつ、家族に言ってなかったんだろう？　とにかくそういうところが子供みたいだった。言ったらほんとうになると本気で思っていたんだろう。」

「ちょっと…それは、知らなかったですね。ショックです。お母さんは知っていたのかしら。」

　私は言った。

「お母さんに知らせなくては。」

「…うん、でも、今なら知らせても、いいのかもしれないな。あるいはおふくろさん、もしかしたら知ってるのかもしれないし。」

　山崎さんは言った。

「あいつ、それもあっていろんなことがどうでもよくなっちゃったし、逃げたんだと思うよ、病院とか検査とかもう絶対いやだってガキみたいなことを言ってたな。バカだよな。ほんとに。」

「あの女のせいで、病気になったのかな。」

　私は言った。

「あ、よっちゃんもそう思った？　僕もとっさにそう思った。うまくは言えないんだが、僕たちはあの女性のことをよく知らないだろう？　会ったこともないし、話したこともない。だからこそ、思うんだ。僕たちはきっと、そのお塩を持ってきたおばさんにしてもそうだけど、あの女性になにかの大きな暗いイメージをかぶせているんだと思う。

大きな闇のようなもの、神話みたいなもの。確かにあの女性にはそれを喚起させるなにかがあった。でも人間としてのあの女性は、ただのだらしない人間で、その大きなイメージのはじっこ程度の人だったたと思う。

僕たちは、イモの不可解な死を通して、なにか大きくて暗くて正体のわからないものを見ているだけなんだ。でも人生なんてほんとうはほとんどそういうものでできてるだろ。それがこわいから、みんなわかりやすいことを必要としてるんだろう。」

山崎さんは言った。

「だから、どうでもよくなってしまうような、なんのしがらみもない、命よりもものすごいようなセックスを、彼らがしていたという感じを持つのは、僕たちが納得したいからだけなのかもしれない。僕はもう中年だから、よっちゃんよりはまだその感じがわかるけど、それにしても、イモだってそんな単純に女に溺れたわけじゃないと思うよ。」

私はしばらく黙ってしまった。

甘えん坊で、みえっぱりで、マザコンで、お母さんに弱みを見せたくなくて、娘の前ではいつでも良いパパでいたかったあの奇妙に暗い人物のことをまた思った。

「お父さん、バカだなあ。」

私は言った。

「ほんとだよ。」

山崎さんは言った。

「おかげさまでびっくりして性欲もなくなりました、すっかり。食欲も。おいしいおそばを食べたあとでよかった。」

私は言った。私の胸の奥がきゅうっとしめつけられていた。

「僕はそうでもないよ、なんか、いいおじさんでいるのに疲れた。だめな奴になってもいい気がしてきた。」

山崎さんは続けた。

「僕は君にひきつけられてる。男なんてそんなものだ、そう思う。ここでかっこつけてがまんして酔いしれてもしかたない。それから、よっちゃんの頭の中は、若さなのかもしれないけど、言葉でいっぱいすぎる。僕は、自分にはそれに対してほんとうにはなにもできないとわかっているのに、空っぽにしてあげたい、そう思わずにいられない。正直に言うと、さっきから迷ってる。」

「男と女って、そんなにも違うものなんですか？」

この唐突な展開にただただびっくりして、私は言った。

「違うと思う。」

山崎さんは言った。山崎さんの落ち着いた口調が強く印象に残った。聞けば聞くほど、私もどんどん落ち着いて気持ちが冴えていくのだ。この現象はなんだろう、と思った。

小耳にはさんだお料理とおそばの値段はものすごく高かった。今日はほんとうに奮発してくれたんだということがわかった。でも、これを割り勘にしたら私は家に帰るお金もなくなってしまう。カードがあるからなんとかなったのかもしれないけれど、ごちそうになることにした。体で払います、という冗談がのど元まで出かかったけれど、山崎さんの男の純情をふみにじるすれすれの冗談だなあと思って、言うのをやめた。

外に出ると、風が冷たかった。まだ冬なのか、と私は思った。

この秋から冬にはあまりにもいろいろなことがあって、長かったなあ、と思っていた。お父さんが死んでから時間があれよあれよという感じで過ぎていって、地べたに座ったままの自分の心が追いつけない感じだったのに、この段になって、急に現実が追いついてきて、時間がゆっくりになった。ゆっくりとしようとつとめているお母さんと暮らしているのが大きいのだなあ、としみじみ思った。

風の中で、ちょっとだけ目を閉じて思った。お母さんとだって、いつまでも暮らせるわけじゃないんだ。私だって、いつかこの風の中に消えていくんだ。すごい、野ざらしだ。お父さんとちっとも変わらない。

いつか来る、終わりの予感がふわっと私を包んだ。

それは決して心地悪いものでもみじめなものでもなく、自分が広がっていく感じで、お父さんが今いる場所はそんなに悪くない、私が見た夢みたいにあの女に見張られていて狭いものではない、そう確信できた。野ざらしで、分解されて、広がって、飛び散って、でもお父さんの中心はなんとなく感じられる、そんな優しい感じ。

「どうしよう。」

山崎さんは言った。

「何時までに帰ればいい？」

私は言った。

「夜中には帰りたいけど。」

「おふくろさんが心配するもんな。」

山崎さんは言った。

私は、山崎さんの大きな腕に腕をからめた。

「どうしてだろう、いっしょにお参りをしたからかなあ。私は、山崎さんといるときの自分を、すごく楽に思える。自分本来の姿が普通に出てる気がする。」

「それ、よく出ていったかみさんにも言われた。」

山崎さんは言った。

「じゃあ、根っからそういう人なんだね。」

私は笑った。

もっと言うと、この人といるときの私は女だ、そう思った。

大きな駅の前のロータリーはバスや車でいっぱいだった、スーツ姿の人がほとんどだった。みな一杯飲んで浮かれたような感じで夜の道を埋め尽くしていた。

「よっちゃんは、どうして僕が好きで、僕とやりたいの？」

山崎さんは言った。

「こういうことを聞くの、ばかばかしいってわかってるし、実にかっこ悪いけど、聞きたいんだ。」

なにごとも理屈が通っていないと、自分なりに筋道が通っていないといやな人なんだな、と私は思った。山崎さんの服からは香ばしい木の実のようないい匂いがした。そう、そして自分なりに筋が通っていれば、一般的にだめとされること…親友の娘とできてしまう、親友の妻も知り合いなのに…も全く気にならない、彼のそういうさぎよい性格が伝わってきた。

「私は、この期間、山崎さんに会ったときだけが、生きて色がついた時間でした。山崎さんとしゃべっているときだけが、人に変な気をつかわない時間でした。」

私は言った。彼氏と寝てみたら、ほんとうに寝たい人がわかった、山崎さんの声を聞くと、そのときだけ生きる希望がわいてきた、という言い方では、言えなかった。まじめに私を見つけてくれた新谷くんにもあまりにも失礼だと思った。

「子供じみた言い方でごめんなさい、でもほんと、そうだったんです。それに、私、ずっといい子でいたから、この二年間くらい。お母さんをなぐさめ、きちんとバイトに行き、仕事をし、きちんと悲しみ、健康に早寝早起きして、ひたすら働き…それはお父さんが流れ流れて死んじゃった過程とあまりにも遠くて、なにかが取り残されたような。好きな人と寝てうさをはらしたいわけでも、中年男性の高等テクニックでめちゃくちゃになってお父さんの気持ちを知りたいわけでも、山崎さんに夢見る片思いをしてるわけでもないんです。それが全部混じったぐちゃぐちゃな気分を、現実の世界で実現したいだけ。」

「よし、わかった。」

山崎さんは言った。

「やろう。」

「そんな言い方！」

私は笑った。

不思議に落ち着いていた。私たちは確かに設定を超えて男女として、人と人としてひかれあっている、それに自信があったからだろう。

歩いているあいだずっと、ふたりは無言だった。最後にしゃべったのは「うちじゃいやじゃない？」「いいえ。」だった。私はずっと山崎さんの手に触っていた。この夢が消えてしまわないように、奇跡がどこかに行ってしまわないように。

お母さんには、

「お父さんの死んだ現場に行ったら気持ちが沈んだので、飲んで帰ります。遅くなるけれど、気にしないで、思いつめてないからね！」

とメールを書いた。

お母さんはそこまでは私の生活に関心を持っていない、というのを知っていたので、ばれることは全く心配していなかった。私はこれから数時間、普段の流れの中から消えてしまうのだ、そう思ったら妙に気分がよかった。ひとりではないし、淋しい闇の中に行くわけでもない、普段のことも、責任も、過去も、関係性も、みんな忘れちゃっていい。

お父さんの気持ちがこの数百倍くらい重かったとしても、そのはじっこのしっぽのところをちょっとだけかいま見た気がした。この解放感の激しさといったら、飛翔しすぎて自由さを吸い込みすぎた自分の感情で自分を焼きつくしてしまいそうなくらいだったからだ。

山崎さんの家は、少し変わった形のしゃれたマンションの五階にあった。鍵をあけて入ると、家の中はとてもきれいで、奥からつるりとしたグレーのきれいな猫がのっそりと出てきた。

「かみさんが猫を置いていっちゃって。」

山崎さんは言った。

「山崎さんが淋しくないようにかも。」

私は言った。

「いや、いったんは連れていったんだけど、赤ちゃんができたら、飼えないって持ってきたの。俺たち二匹とも捨てられちゃった。」

山崎さんは猫を撫でながら言った。

私だって、いつかこの人にひどいことをするかもしれない、その逆もあるだろう。でも、今はどちらに対しても果てしなく優しい気持ちを私は持った。山崎さんと猫と。

「さっき奇《く》しくもふたりとも風呂に入ったから、いきなり始めてもいいということにしましょう。」

山崎さんは言い、私は「奇しくも？」と笑った。

そしてふたりで手をつないで、ベッドに行った。

そっと寝転がるときに、山崎さんは言った。

「これが最初で最後になる可能性がある、正直にそう思う。でもかけねなく本気です。」

私はうなずいたが、それを聞いたときものすごく悲しくなって、涙が出た。

でも、これは違う、お父さんとあの女の人とは違う。私と新谷くんとも違う。求めていた澱《よど》みや行きどまりは意外にもここにはない、そう思った。ここには確かなものがありすぎているし、続く要素が多すぎる。じゃあ、なにひとつ思ってたものと同じものはないではないか。予想のつくことなんかなんにもないんだ、と思った。

きちんと見つけてくれて年相応で欠点がなかったのに、新谷くんを好きになれなかったのと同じで、予想できることも予約できることもほんとうはひとつもない。

山崎さんのセックスは、新谷くんとは違っていた。新谷くんのほうがよほどいやらしくて器用でスケベで、物理的には気持ちよかったのでびっくりした。

それで、なんとなく思った。

そうか、私は本能的にそれを知っていたんだ、だから新谷くんとつきあってみたかったんだ。そう思った。

でも新谷くんと行けるところはどこにもない、気持ちよさの果てで行き止まりだ。それ以上の景色は見えない。私は、お父さんが死ぬに至った道を入り口だけれど実はもうすっかり見ていたんだ。

山崎さんはなんとなく不器用で中学生みたいで、それでも長く結婚していたから女性がそこにいることにすっかり慣れた優しさのようなものがあって、私はあの美しすぎる奥さんを思い出して胸が痛んだ。胸が痛みすぎて、ちっとも気持ちよくないし、お父さんを裏切ってやった、とか、お母さんのためにいい子でいるのをやめてやった、みたいな爽快感《そうかい》はなかった。

ただ、山崎さんのすることのひとつひとつが愛おしくて、震えるような感覚があった。この人はほんとうに私を好きになりつつあるんだ、ということが言葉ではなくはっきりとわかったからだ。この人は今、私自身を見ている、そう思えた。

新谷くんと山崎さんは、見た目が逆だからまだものごとがわかっていない私はすっかり勘違いしてしまっていたけれど、どちらも私が欲しかったものだったんだ…そう思った。中年の熟練そしてセックスの相性の良さ、セックスだけの良さ…、青年の恋愛、思いやりのあるぎこちないセックス…私の中で混じっていたその要素が混乱していたことに現実が勝手にかたをつけてくれたような感じがした。

ほんとうに長い時間をかけたあとで山崎さんが私の中に入ってきたとき、なにか決定的なことが起きてしまった感じがした。もう戻れないし、戻らない。もうなにも考えなくていい、そういう感じだった。

それを彼も共有していたかどうかは、私にはわからない。

それは私だけがずっと大切にすることだから。


移動で疲れていたのか、ふたりとも一時間ほど本気で熟睡してしまった。

目が覚めたら、世界は変わっていた。なにもかもが本来の姿に戻っているような感じだった。恋の魔法は解けていなかったし、目の前が明るくなっていた。

猫が私の脇にふんわり寝ていて、その向こうには私の寝顔を見ている山崎さんがいた。

時間は深夜一時半、もう帰らなくては。

私はゆっくりと体を起こし、着替えはじめた。帰りたくなかったけれど、しかたない。もう魔法はとけるべき時間なのだ。

「もっと自己嫌悪におちいるつもりだったのに。」

渋い顔をして山崎さんは言った。

「私は大人で、もう、自分のことは自分でできます。」

私は言った。

「しゃべらないで、よっちゃん。よっちゃんがイモの娘のよっちゃんであることを、忘れていたいの。ただの若くてかわいい子とやりたくてやったと思おうとしてるの。」

山崎さんは言った。ごつごつした膝も、指に生えてる毛さえ、好きだと思った。

「むりだって、そんなの。そういうこと言ってる時点でもうむりだって。」

私は猫を撫でながら、微笑んだ。

玄関の前でぎゅっと抱きしめてくれた山崎さんと、大きな通りまで手をつないで歩いた。

「しばらくは会えそうもないよ。」

山崎さんが言った。

「まいったな、会えないよ。」

「春になったら。」

私は言った。

「フランスから帰ってきたら、連絡します。そのときの気持ちで、いっしょに水族館に行ってくれるかどうか、教えて。」

「うん、わかったよ。そうしよう。」

山崎さんは言った。

「お願いがあります。」

私は言った。涙がぽろっと出た。どれだけ泣いたら、涙はなくなるのだろう。もう泣き飽きた、泣きつかれてしまった。それなのに。

「春までは、だれともいっしょにならないで。だれかと寝てもいいけど、いっしょに暮らしたりしないで。」

「わかった。」

山崎さんは言って、私の頭を撫でた。

お父さんのように、そして恋人のように。私がそのとき持っていなかったそのふたつのように。

夜中の街の空気は澄んでいた。胸一杯に冷たい空気を吸い込んだ。体に残っている熱が奪われるのが切なかった。

タクシーに乗って、私は言った。なにかを大丈夫にする呪文のように。

「下北沢まで、お願いします。」

私の今のふるさと、守るべきものがある、帰るところの名前。

ドアが閉まり、山崎さんは闇の中で手を振ってくれた。そしてくるりときびすを返し、私たちが確かに愛し合ったあの部屋へと、帰っていった。

胸がいっぱいすぎて何も考えられず、私は茶沢通り沿いの駅の入り口のところでタクシーを降りた。

深夜だというのに人が絶えず、新谷くんとのたくさんの思い出がぐっとこみあげてきた。欲におぼれていくのは、むいてないみたい。欲の果てを見たい気持ちは、お父さんの年齢になったら、もっとよくわかるのだろうな、そう思った。

なんにもわからないままだったな、そう思った。お父さんとあの女…彼らの関係も、彼女の性格も、ふたりが見ていたものも、なんにも。それは悲しいけど彼らだけのものだった。彼らだけが命をかけて見たものだったと思いたい。それから、私とお母さんがお父さんの宝物だったのと同じように、お父さんだけのもの。

だれもなにもいっしょには持てないけれど、そんな気分になれる重なり合いがあるということ。

さようなら、新谷くん、ありがとう。

それを思うと少し沈んだ気持ちになったが、なによりも体中がまだ山崎さんの体のぬくもりでいっぱいだった。それをそっと宝物のように抱いて、私はあずま通りを抜けていって王将の前に出た。

王将はこうこうと明るく活気に満ちて、たくさんの人たちがごはんを食べていた。それをガラス越しに見ると、いい気分になる。

私は左に折れてもう一回茶沢通りに出て、お店があった場所に行った。真っ暗になっているが、まだ建物は残っていた。

もうすぐ空き地になって、桜も切られてしまう。あんなに美しく夜道を彩っていた命が消えてしまう。私にはもうどうすることもできない。ありがとうと桜に言ってみても、なにも答えは返ってこない。いつものように撫でてみても、もうすぐ別れる悲しさばかりがこみあげてくる。来年は花を見ることができないなんて。

私が毎日あけたあの木の重い扉ももうすぐこの世からなくなる。とても信じられない…でもおどろくほど確かに、私の中にはあの景色が、感触が残っていた。これもまた私だけのものだ、そしてこの街を歩く人たちみんながどこかで重なりあって共有していたものだ。私たちがこの世から消えても、消えはしないのだ。

お父さんと過ごしたいろいろな場面と同じくらい、お父さんの遺伝子と同じくらいにはっきりと私の中に残っているのだ。

この頭の中に、体を形づくる細胞たちに、瞳の中に、残っているいろいろな光景だけはだれにも奪えない、ざまあみろ、時間よ。そう思って私はぎゅっとこぶしを握った。

若くてみじめでなんにもないように見えても、この世のだれともその全部を共有していない、でもいろいろなものを共有してあちこちの人たちと重なりあっているたったひとつの経験を持つ、たったひとりの自分の貴重さが、しんしんと冷える星空の下でいっそうわかってしみてきた。

目を閉じると、私の心の中の桜が、枝にたくさんついた淡いピンク色の花をたっぷりと風に揺らしていた。

そして私の心の中のレ・リヤンが、静かに、永遠にそこで日々の営業を続けていた。

それはなにがあっても消えない、大丈夫だ。

もう一度私は思い、春を待ってまた新しいものを瞳に映していこうと思った。パリやフランスの田舎や美しいたくさんの景色やおいしい食べ物やみちよさんの顔に浮かぶ決意や、そういうもの。そしてもしかしたら、山崎さんの新しいいろいろな表情…憎しみ合ったり、けんかしたり、冷たくし合ったり、そういうものもあるかもしれないが、今はこわくなかった。もしかしたらもう会わないかもしれないし…それはフランスから帰ってきたときの未来の私が考えることだろう。そのときにならないとだれにもわからないし、そのときの自分を作るのは、それまでの一日一日の自分自身なのだろう。

単に自分の好きな、自分で選んだ男と寝たからでもない。そしてお父さんの供養をすませたから、浮かれているのではなかった。

この期間になにをしたんだろう、と言われたら、なにもしていない感じだった。全てが夢の中みたいだった。それでもなにもしていなかったわけではないということが、私をすがすがしくさせていた。息苦しく、行き場もなく、いつのまにかなにかやっていた、それがみんなちゃんと進んでいて、気づいたらなんの重荷もない場所でふっと息継ぎをしていたのだった。それがこの場所でよかったというだけのことだった。

私は今ひとりで淋しく寒い夜道に立っているようだけれど、この街全体から見たら、少しも淋しくはない。

少し離れたところではちづるさんがお店でなにかおいしいものを炒めているだろう。えりちゃんはお店を片付けて少し前に南口の商店街を静かに抜けて家に帰っていっただろう。いつもてもてのはっちゃんは古本屋をきっちりと閉めて、今日もだれかとデートに出かけていったのだろう。コーヒー屋さんのご夫婦は、今日も静かにバンダナを巻き、エプロンをつけ、コーヒーをいれたり運んだりし続けたのだろう。みちよさんは明日になれば旅のことで連絡をくれるだろう。この時間だともしかしてみゆきさんとテッちゃんはまだお店の片付けをしているかもしれない。そしてふたりで仲良く住宅街を抜けて帰っていくのだろう。

他にもここに住み働きはじめてから知り合ったたくさんの人の笑顔や仕草が浮かんできた。

私やお母さんがこの街で知り合った人たちは、今日もここで暮らしてなんということのない一日を紡いだのだろう。

それが、街というものだ。

数年前には全く知らなかった人々のそんな営みが、この街を呼吸のように出たり入ったりしているのを、私は感じた。ひとりではなかった。私の知らない様々な人たちが同じように出たり入ったりして街は創られていく。

フジ子さんの言う通りだ、それは一見混沌としていてごちゃごちゃと醜いようなのに、いつのまにかすばらしい模様を描いている。なんと美しい光景なのだろう。

それは人々の欲や醜さやみじめさや愛やすばらしさや笑顔や豊かさやそんな全てが混じった無意識のからみあったツタのようなもの。たとえナタでばしっと切られてしまっても、燃やされてしまっても、人々の心の中の景色までは、その中に生きている時間までは奪えない。だれにも触れないのだ。

その中には今や私を通して私のお父さんもしっかりと属していた。

そう思った。そのことを教えてくれた、柔らかく包んで休ませてくれた下北沢よ、ありがとう。どんなに形を変えていってもしぶとく強く芽を出して、永遠にここにあれ…。

これまで何人もの人たちが思ったであろう単純な願いを私もまた重ねてみる。

目に見えないものに敗れていったものたち、気持ちを残しながらここを去っていったものたちの想念の死骸がごろごろと横たわる記憶の戦場に、花をそなえるかのように日々足跡を刻んで歩んでいく。

ほんとうはふるさとの街も同じようにそうだったのに、ここに来てはじめてそのことに気づいたのは、ここが風が抜けていく場所、そして人々に特別に思い入れられ、愛されている場所だからだ。

大人の女の足にきれいな靴を履いているのに、歩き出した私の足の軽さは、幼い頃にお父さんと買いにいった、お気に入りの運動靴を履いているときのようだった。

この横断歩道をわたると、私のお母さんが待っている家がある。私はお母さんが生活している部屋の窓明かりを見上げた。あの大きいＴＶが部屋の中でちかちかと光を発しているのが見える。私にはお父さんはもういないけれど、お母さんがいる。とりあえず絶対今日は会える。まだまだいっしょに過ごすことができるだろう。

今帰るから、お母さん、生きているお母さん、今、ただいまと言うから。

そう思って私はきらきらと星が胸の中に落ちてきたみたいな、大きな幸せとしか言いようのないものを抱えていた。

なんにも変わってないのに、もやもやはなにも解決してないのに、私の心は答えのようなもので満たされていたのだった。

文庫版あとがき

これを読んだ亡き父が「この小説の長さにはむりがありすぎる、だいたいこれは自分のおやじについて書いてるんじゃないのか」みたいなことを、半ボケで超長電話してきたとき、困ったなあと思った。新聞連載は自分の書きたいように書けばよいものではないから説明が多い内容になるのはしかたないし、だいたい出てくるお父さんのタイプが違うんだけどなあ、とも思った。

しかし、ゲラを読んでいたら、親を唐突に失った今の自分の心境をこの小説に出てくる人たちがうまく表しすぎていて、自分が自分の作品に癒されてしまった上に、予知して書いたのかとさえ思った。

なにをどんなに推測しようともう本人から答えを聞くことはできない、重い闇の中にいる時間。どう過ごしても救われることのないただ問い続けるだけの日々。

父はこのことを言っていたのかもしれないな、とさえ思った。

よく私の小説は「ほんとうに身近な人が死んだら、あなたの小説みたいにきれいごとは言ってられないし、大人はいろんなやることがあってあなたみたいに気持ちだけでは生きられない」みたいな批判を受けるのだが、実際にそういう状況で読んでもあまり違和感はなく、しかも癒されてしまったくらいだから、やっぱり自分は間違っていなかったと思った。

私以外のタイプを癒すにはまだまだ修行が必要だが、少しでも似たタイプの人なら、きっちりと癒せる、そこまでは来た、そう思った。

えらくおめでたい言葉だが、そうとしか言えない。


この小説で毎日新聞社の方たちとの絆も深まって今でもそれは続いているし、イラストレーターの大野舞ちゃんとの友情もみっちりと深まったたし、人前に出る仕事を引退するにあたって小さな手作りイベントをやって下北沢の町やピュアロードフリマともより太くつながったし、それを助けてくれた上山麻実子ちゃんとも仲良くなれたし、ワンラブブックスの蓮沼英幸さんにはイベントに関して無償でたくさんお世話になった。他社の本でも気にせず手伝いにかけつけて来てくれた編集の方々と打ち上げをしたり、幻冬舎の石原さんと壺井さんとも文庫化を通じてよい時間を過ごせるし、茨城に取材に行って大海赫先生ご夫妻と楽しい時間を過ごしたり、とにかくいろいろなことを連れてきてくれた小説だと思う。

　小説の舞台となっている「レ・リヤン」は閉店してしまったけれど、シェフの吉澤さんは新たに「オー・ペシェ・グルマン」を立ち上げ幡ヶ谷で毎日おいしいものを提供していて常に大繁盛だ。彼女の作る麦のサラダも生き生きした味でまだ存在している。

　ひとりひとりのお名前をあげたら果てしなく長くなってしまうのであげることはしませんが、この小説に関わってくださった全てのみなさん、読んでくださった読者のみなさん、多分最後になるサイン会にいらしてくださったみなさん、ほんとうにありがとうございました。


　下北沢は残念ながら、ますます悲しい町になっていっている。すてきな個人商店はどんどんなくなり、チェーン店やキャバクラばかりが増えていく。マッサージの赤ひげおじさんも姿を消した。牌《パイ》の音もなくなった。浜だこやチクテカフェもなくなってしまった。

　それら時代の流れが悪いというのではない。仕方ないことなのかもしれないし、私の育った時代は個人商店が花盛りだったので、単なるノスタルジーなのかもしれない。

　これからの時代は、個人の入るすきま、住んでいる人が自分のペースで生きられるのんきさがどんどん失われていくだろう。人は店にせかされ、店の出したものを制限時間内に家畜のように受け入れるようになる。そこには相互関係の生まれる隙はない。

抵抗する勢力がなんとか生き延びられるよう、時代がよいほうになっていくように、企業がむだなものに投資できる時代がまた訪れるように、と望まずにはいられない。

このあいだ、コムデギャルソンが最近作った銀座のドーバーストリートマーケットに行った。服を買う人は減っているし、安価にせざるをえない部分もあるだろうし、苦しい闘いをしているはずのその日本のブランドが、あえて今の段階で文化に投資しはじめている。その志に深くうたれた。

お金のことだけ考えたらしないほうがいいことでも、人間にはしたくてしてしまう楽しいことがあるのだ。

肉体がある限り、人間の真の望みはそうそう変わるものではないんじゃないかなと思う。まだまだひそかに残っている名店の数々がなくならないように、祈るばかりだ。

よしもとばなな

この作品は二〇一〇年九月毎日新聞社より刊行されたものです。

幻冬舎文庫

●好評既刊
Q人生って？
よしもとばなな

「こんな世の中で、子どもをまっすぐに育てるにはどうしたらいいと思いますか？」。恋や仕事や子育てにまつわる31の疑問に答えた著者の言葉が心をのびやかにする。日常がガラッと変わる人生論。

●好評既刊
まぼろしハワイ
よしもとばなな

パパが死んで三ヶ月。傷心のオハナは、義理の母でありフラダンサーのあざみとホノルル空港に降り立った。ハワイに包まれて、涙の嵐に襲われる日々が変わっていく。生命が輝き出す奇跡の物語。

●好評既刊
日々の考え
よしもとばなな

遠くの電線にとまっている鳩をパチンコで撃ち落とす強烈な姉との抱腹絶倒の日々――。ユニークな友人と過ごす日常での発見。読めば元気がわいてくる。本音と本気で綴った爆笑リアルライフ。

●好評既刊
人生の旅をゆく
よしもとばなな

人を愛すること、他の生命に寄り添うこと、毎日を人生の旅として生きること。作家の独自の経験を鮮やかに紡ぎ出す各篇。胸を熱くし、心を丈夫にする著者のエッセイ集最高傑作、ついに文庫化。

●好評既刊
ひとかげ
よしもとばなな

ミステリアスな気功師のとかげと、児童専門の心のケアをするクリニックで働く私。幸福にすごすべき時代に惨劇に遭い、叫びをあげ続けるふたりの魂が希望をつかむまでを描く感動作！

幻冬舎文庫

●最新刊
若頭補佐 白岩光義 南へ
浜田文人

一成会次期会長の座を巡り対立する若頭補佐の白岩と事務局長の門野。門野が秘密裏に勢力を九州まで伸ばす中、白岩は大学時代の級友の招きで福岡を訪れた……。傑作エンタテインメント長編！

●最新刊
走れ！ T校バスケット部5
松崎 洋

教師になった陽一は、登校拒否をしているバスケ少女、真理と出会い、顧問となった女子バスケ部をまとめようとするが……。T校メンバーの変わらぬ友情と成長を描く青春小説シリーズ、第五弾。

●最新刊
往復書簡
湊かなえ

手紙だからつける嘘。手紙だから許せる罪。手紙だからできる告白。過去の残酷な事件の真相が、手紙のやりとりで明かされる。衝撃の結末と温かい感動が待つ、書簡形式の連作ミステリ。

●最新刊
なみのひとなみのいとなみ
宮田珠己

好きなことだけして生きていきたい。なのに営業に行けば相手にされず、ジョギングすれば小学生に抜かれ、もらった車は交差点で立ち往生……。がんばらない自分も愛おしく思える爆笑エッセイ。

●最新刊
政府と反乱
すべての男は消耗品である。Vol.10
村上 龍

我々は死なずに生きのびるだけで精一杯の現代。だがこのまま自信と誇りと精神の安定を失ったままでいいのだろうか？ 再起を図り、明日を逞しく乗り切るヒントに満ちた一冊。

もしもし下《しも》北《きた》沢《ざわ》

よしもとばなな

平成24年8月5日　初版発行

発行人――石原正康
編集人――永島賞二
発行所――株式会社幻冬舎
〒151-0051東京都渋谷区千駄ヶ谷4-9-7
電話　03(5411)6222(営業)
　　　03(5411)6211(編集)
振替00120-8-767643
印刷・製本―中央精版印刷株式会社
装丁者――高橋雅之

幻冬舎文庫

ISBN978-4-344-41909-4　C0193　　よ-2-20

幻冬舎ホームページアドレス　http://www.gentosha.co.jp/
この本に関するご意見・ご感想をメールでお寄せいただく場合は、
comment@gentosha.co.jpまで。